초등국어 어휘력 향상을 위한

어휘왕

6-1

이룸이앤비
Education & Books

어휘력이 성장하는 빅뱅 시기, 초등 6년!

어느 언어학자의 연구 결과에 따르면,

학생들의 키는 보통 사춘기에 폭풍 성장하는데,

어휘력은 그보다 더 이른 초등 시기에 폭발적으로 늘어난다고 합니다.

보통 초등학교에 입학하기 전 아이들의 어휘력 수준은

약 5,000 단어를 아는 데 불과합니다.

그런데 **초등학교 6년의 과정을 거치면서 약 40,000 단어 이상을 습득하게 됩니다.**

초등 시기에 매년 6,000 단어 이상의 새로운 어휘를 습득하게 되는 셈입니다.

매우 놀라운 사실은 일반 사람들이 원만한 사회생활을 하는 데

필요한 어휘의 85%를 바로 초등 시기에 익히게 된다는 점입니다.

그래서 초등학생 때를 "어휘의 빅뱅* 시기"라고 부르기도 합니다.

(빅뱅이라는 말은 우주가 어느 날 폭발적으로 팽창하면서 커지게 되었다는 학설입니다.)

이러한 빅뱅 시기에 어휘 학습을 제대로 해 놓아야 그 효과를 톡톡히 볼 수 있겠지요?

혹여나 '어휘 학습은 그냥 국어 공부잖아, 다음에 봐서 학원에 보내면 되겠지.'

라고 생각하면 큰 오산입니다.

어휘의 빅뱅 시기를 너무 안일하게 생각하면 때는 늦습니다.

공부가 때가 있다는 말들을 하지요?

이는 뇌 구조상 쉽게 기억되고 받아들이는 때가 있다는 말입니다.

많은 양을 공부할 필요는 없습니다.

하루에 20~25개 정도의 어휘만 꾸준히 학습하면 됩니다.

'초등국어 어휘왕'은 바로 어휘의 빅뱅 시기를 맞이한 초등학생 여러분의 어휘력을

성장시켜 줄 좋은 친구가 될 것입니다.

초등국어 어휘왕의 특장점은?

1 **교과서에 나오는 주요 어휘를 학습할 수 있습니다.**

초등 교과서에만 약 3만 개가 넘는 어휘가 수록되어 있어요. 교과서는 학생에게 가장 유익하고 체계적인 학습 교재라는 점을 고려해 볼 때, 초등 교과서로 어휘 학습을 시작하는 것은 매우 합리적인 방법이라고 할 수 있습니다. '초등국어 어휘왕'은 초등학교 교과서에 수록된 어휘들을 단원별로 정리하여 문제로 제시하고 있어요.

2 **적절한 분량으로 학습 스케줄을 짤 수 있습니다.**

초등학생이 집중해서 학습할 수 있는 시간은 약 20~30분 정도예요. 너무 많은 양을 한꺼번에 학습하려다 보면 부담을 느낄 수 있어요. '초등국어 어휘왕'은 단원별 어휘들을 조금씩 꾸준히 학습할 수 있도록 학습 일차를 구분해 두었어요.

3 **다양한 유형의 문제로 재미있게 어휘를 익힐 수 있습니다.**

어휘를 단순히 암기하는 방식은 학습 효율 면에서 좋지 않습니다. '초등국어 어휘왕'은 문제를 통해 자연스럽게 어휘의 의미를 익힐 수 있도록 하였어요. 또한 반복되는 지루한 학습 패턴이 아닌, 여러 가지 다양한 유형을 통해 학습할 수 있도록 구성하고 있어요.

4 **부모님이 자녀를 지도할 수 있는 자료로 활용할 수 있습니다.**

풍부한 어휘력을 갖추려면, 꾸준한 학습과 노력이 뒤따라야 합니다. 학생이 꾸준하게 어휘를 공부할 수 있도록 하는 데에는 부모님의 역할이 매우 중요합니다. '초등국어 어휘왕'은 이러한 고민을 바탕으로, 다양한 놀이 형태의 문제들을 학생과 부모가 함께 해 나갈 수 있도록 만들었습니다. 부모님은 해설집을 통해 부분적으로 필요한 내용들을 지도 자료로 활용할 수 있습니다.

초등국어 어휘왕, 재밌고 다양한 문제로 공부해요.

1 새로운 어휘 학습

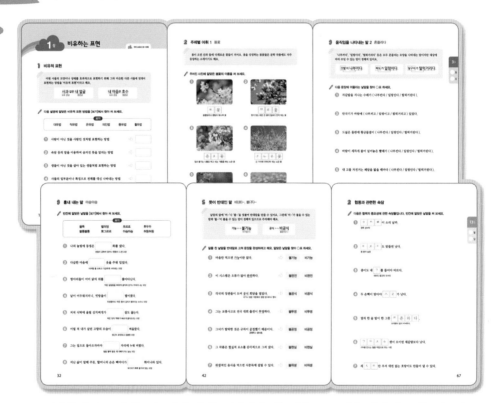

〈단원별 주요 어휘〉, 〈주제별 어휘〉, 〈합쳐진 말〉, 〈태도·동작을 나타내는 말〉, 〈꾸며 주는 말〉, 〈소리나 모양을 흉내 내는 말〉, 〈단위를 나타내는 말〉, 〈바꿔 쓸 수 있는 말〉, 〈뜻이 반대인 말〉 등의 새롭고 낯선 어휘들을 학습해 보세요.

2 기초 맞춤법

〈잘못 쓰기 쉬운 말〉, 〈헷갈리기 쉬운 말〉, 〈문장 부호〉 등의 맞춤법에 관련된 올바른 표현을 익혀 보세요.

3 ▶ 띄어쓰기/원고지 쓰기

〈띄어쓰기〉를 포함하여 〈원고지 쓰기〉 등의 실제 글 쓰는 방식 등을 점검해 보세요.

4 ▶ 올바른 발음

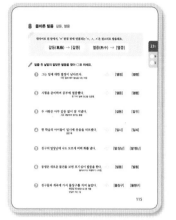

표준 발음법에 따른 〈올바른 발음〉에 대해 학습해 보세요.

5 ▶ 문장 표현

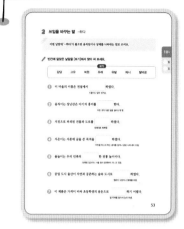

〈높임 표현〉, 〈시간 표현〉, 〈부정 표현〉, 〈행동을 하게 하는 말〉, 〈행동을 당하는 말〉 등 기초적인 문법 지식을 배워 보세요.

6 ▶ 타교과 어휘

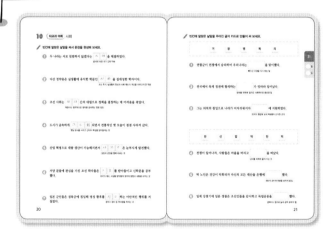

각 학기의 [사회], [과학], [도덕], [수학]의 교과서에 나오는 주요 어휘들을 공부해 보세요.

7 ▶ 어휘력을 높이는 확인 학습

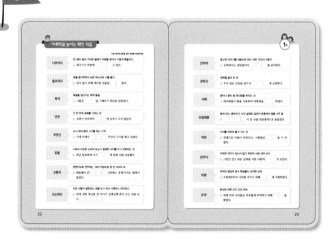

앞에서 공부한 어휘들을 다시 한번 확인해 보면서 확실한 어휘 학습이 되었는지 점검해 보세요.

학생들의 학습을 도와주세요!

기본 학습

**일차별로 꾸준하게
공부하게 합니다.**

학습 스케줄에 따라 하루에
25~30개의 정도의 낱말을 꾸준하게
공부할 수 있도록
지도하는 것이 좋습니다.

**20~30분 집중하여
학습하게 합니다.**

시간을 정해 두고
한 번에 집중해서 학습하도록
하는 것이 바람직합니다.

점검 학습

**단원별로 공부한 어휘를
점검하게 합니다.**

3일차 학습이 끝나는 대로 10분 정도의
시간을 별도로 할애하여 '어휘력을 높이는
확인 학습' 코너를 활용하여 주요 어휘들을
숙지하였는지 확인해야 합니다.

**모바일 앱을 통해 학습한
내용을 복습하게 합니다.**

본 교재는 모바일에서 '초등국어 어휘왕' 앱을
제공합니다. 이를 다운 받아, 하루에 학습한
낱말을 복습할 수 있도록
지도할 수도 있습니다.

도움 학습

**궁금해할 만한
내용은 해설을 보고
직접 설명해 줍니다.**

'정답 및 해설'에 알아 두면
유익한 내용들을 이해하기 쉽도록
별도로 설명해 두었습니다.
이를 학생에게 설명하여 이해를
돕는 것이 중요합니다.

1장 비유하는 표현

1 비유적 표현

어떤 사물의 모양이나 상태를 효과적으로 표현하기 위해 그와 비슷한 다른 사물에 빗대어 표현하는 방법을 '비유적 표현'이라고 해요.

사과같은 **내 얼굴**
보조 관념 　 　 원관념

내 마음은 **호수**
원관념 　 　 보조 관념

✎ 다음 설명에 알맞은 비유적 표현 방법을 [보기]에서 찾아 써 보세요.

보기

| 대유법 | 직유법 | 은유법 | 의인법 | 풍유법 | 활유법 |

1 사람이 아닌 것을 사람인 것처럼 표현하는 방법 ⇨ 의인법

2 속담 등의 말을 이용하여 숨겨진 뜻을 알리는 방법 ⇨ 풍유법

3 생물이 아닌 것을 살아 있는 생물처럼 표현하는 방법 ⇨ 활유법

4 사물의 일부분이나 특징으로 전체를 대신 나타내는 방법 ⇨ 대유법

5 '~처럼, ~같이, ~ 듯이' 등의 연결어를 써서 어떤 사물을 다른 사물에 직접 빗대는 방법 ⇨ 직유법

6 원뜻을 숨기고 그 특징을 잘 나타내는 다른 사물로 바꿔 '무엇은 무엇이다.'와 같이 표현하는 방법 ⇨ 은유법

✏️ 주어진 말에 쓰인 비유적 표현 방법이 무엇인지 써 보세요.

1 백옥 같은 피부
피부가 매우 하얗고 고움.
➡ 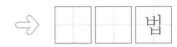 법

2 책은 마음의 양식
책은 마음을 채우는 영양분과 같음.
➡ 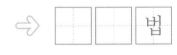 법

3 해를 집어삼키는 바다
바다 위로 날이 저무는 모습을 나타냄.
➡ 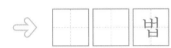 법

4 소 잃고 외양간 고친다.
일이 이미 잘못된 뒤에 손을 써도 소용이 없음.
➡ 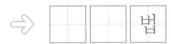 법

5 사람은 빵으로 살 수 없다.
배만 채우는 것으로는 삶의 의미를 찾을 수 없음.
➡ 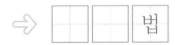 법

6 꽃들이 나에게 인사를 한다.
꽃들이 활짝 피거나 또는 바람에 흔들림.
➡  법

더 알아두기

어떤 사물의 모양이나 상태를 효과적으로 표현하기 위해 사용하는 방법이 '비유'라면, '상징'은 추상적인 것을 구체적인 사물로 나타내어 머릿속에 떠올릴 수 있게 하는 표현 방법이에요. '평화'와 같이 추상적인 내용을 '비둘기'와 같이 구체적인 사물을 통해 나타내는 것을 예로 들 수 있어요.

2 주제별 어휘 1 봄꽃

봄이 오면 산과 들에 다채로운 꽃들이 피어요. 봄을 상징하는 봄꽃들은 문학 작품에도 자주 등장하는 소재이기도 해요.

✏️ 주어진 사진에 알맞은 봄꽃의 이름을 써 보세요.

1

ㅂ		꽃

분홍빛이나 흰빛의 벚나무 꽃

2

ㅁ	ㄹ	꽃

향기 있는 하얀 큰 꽃이 잎보다 먼저 피는 꽃

3

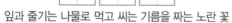

유	ㅊ	꽃

잎과 줄기는 나물로 먹고 씨는 기름을 짜는 노란 꽃

4

ㄱ	ㄴ	ㄹ	꽃

긴 가지에 다닥다닥 피는 노란 꽃

5

ㅈ	ㄷ	ㄹ	꽃

꽃부리가 다섯 갈래로 갈라진 분홍색의 덤불 나무 꽃

6

ㅁ	ㄷ	ㄹ	꽃

노랗거나 하얗게 피며, 바람에 흩어지는 씨를 맺는 꽃

3 주제별 어휘 2 클래식 음악

클래식 음악은 사람의 목소리가 사용되는지 아닌지에 따라 '성악'과 '기악'으로 나눌 수 있어요. 성악과 기악도 그 표현 방법에 따라 여러 가지로 나눌 수 있어요.

✏️ 빈칸에 알맞은 낱말을 [보기]에서 찾아 써 보세요.

보기

가곡   성가   교향곡   독주곡   오페라   칸타타   협주곡

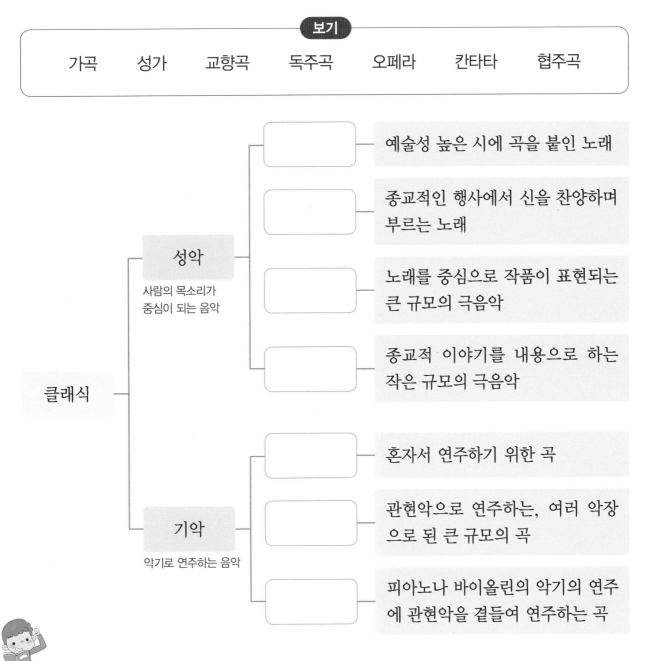

클래식

성악
사람의 목소리가
중심이 되는 음악

예술성 높은 시에 곡을 붙인 노래

종교적인 행사에서 신을 찬양하며 부르는 노래

노래를 중심으로 작품이 표현되는 큰 규모의 극음악

종교적 이야기를 내용으로 하는 작은 규모의 극음악

기악
악기로 연주하는 음악

혼자서 연주하기 위한 곡

관현악으로 연주하는, 여러 악장으로 된 큰 규모의 곡

피아노나 바이올린의 악기의 연주에 관현악을 곁들여 연주하는 곡

더 알아두기

관을 입으로 불어서 소리를 내는 악기를 관악기, 바이올린처럼 줄을 튕겨서 소리를 내는 악기를 현악기라고 해요. 관악기와 현악기를 합쳐 관현악이라고도 하지요.

4 뜻을 더하는 말 −간(間)

한자어 '간(間)'은 기본적으로 '사이'라는 뜻을 가지고 있지만, 낱말 뒤에 쓰여 '~하는 곳'의 의미를 더해 주는 말로 사용되기도 해요.

間 → 사이 / 때 / … / 무엇이 존재하거나 사용되는 곳

🖊 주어진 뜻을 참고하여 빈칸에 알맞은 낱말을 써 보세요.

① 대소변을 보도록 만들어 놓은 작은 집

예) ⬜⬜과 사돈집은 멀어야 한다.

⇨ | ㄷ | | 간 |

② 장독을 놓아 둔 곳

예) 마당 한 구석의 ⬜⬜⬜

⇨ | 자 | ㄷ | | 간 |

③ 소나 말을 먹이고 기르는 건물

예) 소 잃고 ⬜⬜⬜ 고친다.

⇨ | ㅇ | 야 | 간 |

④ 소나 돼지 등의 고기를 파는 가게

예) ⬜⬜⬜에 든 소 = 독 안에 든 쥐

⇨ | ㅍ | ㅈ | 간 |

⑤ 임금의 진지를 짓던 주방

예) 임금의 식사를 준비하는 ⬜⬜⬜ 상궁들

⇨ | ㅅ | ㄹ | 간 |

⑥ 방아를 놓고 곡식을 찧거나 빻는 가게

예) 참새가 ⬜⬜⬜을 그냥 지나가랴.

⇨ | 바 | ㅇ | 간 |

S 한자어 단(單), 폭(爆), 률(律)

🖊 밑줄 친 낱말들 중 주어진 한자가 쓰이지 않은 것을 찾아 ✔표 하세요.

① 單
홑 **단**

☐ 아메바는 단세포 생물이다.
한 개의 세포로 이루어진 생물

☐ 그는 단판에 승부를 결정지었다.
단 한 번에 승패를 가르는 판

☐ 우리는 둘도 없는 단짝 친구가 되었다.
매우 친하여 늘 함께 어울리는 사이

☐ 그들은 성공하리라는 단꿈에 젖어 있었다.
달콤한 꿈

② 爆
터질 **폭**

☐ 히로시마에 폭탄이 떨어졌다.
터트려서 사람을 죽이거나 시설을 파괴하는 물건

☐ 폭약을 실은 기차가 국경을 넘었다.
폭발을 일으키는 화학 물질

☐ 오늘밤 폭풍이 몰아칠 것이라는 예보가 있었다.
몹시 세차게 부는 바람

☐ 불꽃 축제에 가면 수많은 폭죽을 구경할 수 있다.
화약을 터뜨려 불꽃이 나게 하는 물건

③ 律
법칙 **률**

☐ 운율에 맞춰 시를 낭송하다.
시에서 비슷한 소리의 요소가 일정한 사이를 두고 반복되는 것

☐ 이 노래는 음률이 아름답다.
음악에서 소리의 높낮이와 박자

☐ 국회는 법률을 만드는 곳이다.
국가에서 정하여 국민이 따라야 하는 규칙

☐ 유통 기한이 많이 남은 상품일수록 할인율이 낮다.
물건 값을 깎아 주는 비율

15

6 헷갈리기 쉬운 말 -오

문장의 끝맺음을 나타내는 말 '-오'는 '요'로 소리 나더라도 '-오'로 써야 해요. 생략했을 때에도 문장이 성립한다면 '-요'로 쓰도록 해요.

> **삥이오!**
> 생략하면 문장이 안 됨.

> **학교에 도착했어요.**
> 생략해도 문장이 됨.

✏️ 다음 문장에서 '-오'와 '-요'의 쓰임이 올바른 것을 찾아 ○표 하세요.

1

⇨ 나를 따라 (오시오 / 오시요).

2

⇨ 그것은 내 잘못이 (아니오 / 아니요).

3

⇨ 문을 열려면, 옆으로 (미시오 / 미시요).

4

⇨ (아니오 / 아니요), 그건 제가 하지 않았어요.

7 뜻이 여러 가지인 말 고소하다

✏️ 밑줄 친 낱말의 알맞은 뜻을 찾아 번호를 써 보세요.

고소하다	① 볶은 깨, 참기름 따위에서 나는 맛이나 냄새와 같다.
	② 기분이 유쾌하고 재미있다.
	③ 미운 사람이 잘못되는 것을 보고 속이 시원하고 재미있다.

1 갓 무친 나물에서 고소한 냄새가 난다.　　　　　　　　(　　　)

2 이모는 신혼살림의 재미가 꽤 고소한가 보다.　　　　　(　　　)

3 아주머니께서 주신 생콩이 볶은 콩처럼 고소했다.　　　(　　　)

4 나를 괴롭히던 아이가 선생님께 혼나는 것을 보니 고소했다.　(　　　)

헤어지다	① 모여 있던 사람들이 따로따로 흩어지다.
	② 사귐이나 맺은 정을 끊고 갈라서다.
	③ 살갗이 터져 갈라지다.

5 추위에 입술이 헤어졌다.　　　　　　　　　　　　　(　　　)

6 모임이 끝나고 친구들과 헤어졌다.　　　　　　　　(　　　)

7 두 사람은 10여 년의 결혼 생활을 정리하고 헤어졌다.　(　　　)

8 함께 일해 온 두 사람은 새로운 사업을 하기 위해 헤어졌다.　(　　　)

8 움직임을 나타내는 말 1 낭송하다

'크게 소리를 내어 글을 읽거나 외다.'라는 뜻의 '낭송하다'는 동작을 나타내는 말이에요. 이렇게 동작을 나타내는 말을 '동사'라고 해요. 동사는 쓰임에 따라 그 형태가 조금씩 변해요.

✎ 다음 밑줄 친 낱말의 기본형을 쓰고, 그에 맞는 뜻풀이를 완성해 보세요.

① 아이들 앞에서 시를 <u>낭송했다</u>.

⇨ 낭송하다 : 크게 [ㅅ][ㄹ]를 내어 글을 읽거나 외다.

② 그의 올곧은 성품을 대나무에 <u>빗대어</u> 표현했다.

⇨ [   ] : [ㄱ][ㅂ][로] 말하지 아니하고 빙 둘러서 말하다.

③ 그는 떠오르는 시를 마음속으로 <u>읊조려</u> 보았다.

⇨ [   ] : 뜻을 [음][ㅁ] 하면서 낮은 목소리로 시를 읊다.
내용이나 속뜻을 깊이 새겨 감상하거나 따져 봄.

④ 몇십 년을 떨어져 지낸 자매는 만나자마자 서로 <u>얼싸안았다</u>.

⇨ [   ] : 두 [ㅍ]을 벌리어 껴안다.

⑤ 아이들은 서로 키를 <u>견주어</u> 키가 큰 아이를 대장으로 삼았다.

⇨ [   ] : 어떠한 [ㅊ][ㅇ]가 있는지 알기 위하여 서로 대어 보다.

⑥ 그는 어렸을 때 자신을 낳아 주신 부모님과 <u>헤지고</u> 말았다.

⇨ [   ] : [ㅎ][ㅇ][ㅈ][ㄷ]의 준말

9 움직임을 나타내는 말 2 흔들리다

'나부끼다', '일렁이다', '털럭거리다' 등은 모두 흔들리는 모양을 나타내는 말이지만 대상에 따라 쓰일 수 있는 말이 정해져 있어요.

| 깃발이 **나부끼다**. | 파도가 **일렁이다**. | 달구지가 **털럭거리다**. |

✎ 다음 문장에 어울리는 낱말을 찾아 ○표 하세요.

1 자갈밭을 지나는 수레가 (나부낀다 / 일렁인다 / 털럭거린다).

2 만국기가 바람에 (나부끼고 / 일렁이고 / 털럭거리고) 있었다.

3 드넓은 들판에 황금물결이 (나부낀다 / 일렁인다 / 털럭거린다).

4 바람이 세차게 불어 널어놓은 빨래가 (나부낀다 / 일렁인다 / 털럭거린다).

5 내 고물 자전거는 페달을 밟을 때마다 (나부낀다 / 일렁인다 / 털럭거린다).

6 바다 위에서 파도를 따라 (나부끼는 / 일렁이는 / 털럭거리는) 돛배를 보아라.

7 달리는 자동차의 창문을 여니, 머리카락이 (나부낀다 / 일렁인다 / 털럭거린다).

19

10 타교과 어휘 사회

✏️ 빈칸에 알맞은 낱말을 써서 문장을 완성해 보세요.

1 두 나라는 서로 침범하지 않겠다는 ㅈ 야 을 체결하였다.
문서에 의한 국가 간의 약속

2 다산 정약용은 실생활에 유익한 학문인 시 하 을 집대성한 학자이다.
조선 후기, 실생활의 향상과 사회 제도의 개선을 이루고자 한 학문

3 조선 사회는 부 다 간의 대립으로 정책을 결정하는 데 어려움을 겪었다.
학문이나 정치적으로 생각을 같이하는 양반 집단

4 도시가 급속하게 ㄱ ㄷ 화 되면서 전통적인 옛 모습이 점점 사라져 갔다.
옛날 방식을 버리고 근대의 특징을 받아들이는 것

5 산업 혁명으로 대량 생산이 가능해지면서 사 고 ㅇ 은 눈부시게 발전했다.
상업과 공업을 함께 이르는 것

6 서양 문물에 관심을 가진 조선 학자들은 ㄱ 호 를 받아들이고 신학문을 공부했다.
외국의 제도, 사상을 받아들여 생각의 방법과 내용을 바꾸는 것

7 일본 군인들은 경복궁에 침입해 명성 황후를 시 ㅎ 하는 야만적인 행위를 저질렀다.
왕이나 왕비 등 윗사람을 죽이는 것

✎ 빈칸에 알맞은 낱말을 주어진 글자 카드로 만들어 써 보세요.

거   광   병   복   의

1 연합군이 전쟁에서 승리하며 우리나라는 [   ]을 맞이했다.
빼앗긴 국권을 다시 찾는 일

2 전국에서 독재 정권에 항의하는 [   ]가 잇따라 일어났다.
정의를 위하여 일으킨 사회적으로 중요한 일

3 그는 외적의 침입으로 나라가 어지러워지자 [   ]에 지원하였다.
외적의 침입에 맞서 백성들이 조직한 군대

란   신   압   탁   탄   피

4 전쟁이 일어나자, 사람들은 마을을 버리고 [   ]을 떠났다.
난리를 피하여 옮겨 가는 것

5 박 노인은 건강이 악화되자 자신의 모든 재산을 은행에 [   ]했다.
재산의 관리와 처분을 남에게 맡김.

6 일제 강점기에 일본 경찰은 조선인들을 감시하고 독립운동을 [   ]했다.
권력이나 힘으로 눌러 꼼짝 못하게 함.

다음 빈칸에 낱말을 넣어 문장을 완성하세요.

나부끼다
천, 종이 등의 가벼운 물체가 바람을 받아서 가볍게 흔들리다.
예 태극기가 바람에 [ ][ ][ ]고 있다.

읊조리다
뜻을 음미하면서 낮은 목소리로 시를 읊다.
예 잊지 않기 위해 메모한 내용을 [ ][ ]렸다.

폭약
폭발을 일으키는 화학 물질
예 그들은 [ ][ ]을 구해다가 폭탄을 만들었다.

단판
단 한 번에 승패를 가르는 판
예 실력이 비슷하여 [ ][ ]에 승부가 나지 않았다.

푸줏간
소나 돼지 등의 고기를 파는 가게
예 가게 안에서 [ ][ ][ ] 주인이 고기를 썰고 있었다.

운율
시에서 비슷한 소리의 요소가 일정한 사이를 두고 반복되는 것
예 학급 발표회에 나가 [ ][ ]에 맞춰 시를 낭송했다.

교향곡
관현악으로 연주하는, 여러 악장으로 된 큰 규모의 곡
예 베토벤이 쓴 [ ][ ][ ] 5번에는 '운명'이라는 별명이 붙었다.

고소하다
미운 사람이 잘못되는 것을 보고 속이 시원하고 재미있다.
예 내게 심한 장난을 친 아이가 선생님께 혼이 나는 것을 보니 [ ][ ][ ][ ].

칸타타

종교적 이야기를 내용으로 하는 작은 규모의 극음악

예 교회에서는 성탄절마다 ☐☐☐☐를 준비한다.

장독간

장독을 놓아 둔 곳

예 우리 집은 김장을 담가서 ☐☐☐에 보관한다.

시해

왕이나 왕비 등 윗사람을 죽이는 것

예 테러범들이 총을 사용하여 대통령을 ☐☐하였다.

진달래꽃

봄에 피는, 꽃부리가 다섯 갈래로 갈라진 분홍색의 덤불 나무 꽃

예 ☐☐☐☐이 온 산을 연분홍색으로 물들였다.

피란

난리를 피하여 옮겨 가는 것

예 전쟁으로 마을이 파괴되고, 사람들은 ☐☐을 가 버렸다.

견주다

어떠한 차이가 있는지 알기 위하여 서로 대어 보다.

예 그동안 갈고 닦은 실력을 다른 사람과 ☐☐어 보았다.

의병

외적의 침입에 맞서 백성들이 조직한 군대

예 오랑캐로부터 나라를 지키기 위해 ☐☐에 지원하였다.

조약

문서에 의한 국가 간의 약속

예 세계 여러 나라들은 자유롭게 무역하기 위해 ☐☐을 맺었다.

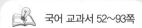

2장 이야기를 간추려요

1 이야기의 구조, 요약

✏️ 다음은 이야기의 구조를 구분한 것입니다. 빈칸에 알맞은 낱말을 넣어 뜻을 완성해 보세요.

① 발단 ⇒ 이야기의 사건이 [ㅅ][ㅈ]되는 부분

② 전개 ⇒ 사건이 본격적으로 발생하고 [가][드]이 일어나는 부분

③ 절정 ⇒ 사건이 커지면서 [기][ㅈ][감]이 가장 높아지는 부분

④ 결말 ⇒ 사건이 [ㅎ][겨]되는 부분

✏️ 다음은 이야기를 요약하는 방법입니다. 빈칸에 알맞은 낱말을 [보기]에서 찾아 써 보세요.

보기

| 결과 | 사건 | 삭제 | 연결 |

첫째, 이야기의 각 구조에서 중요한 [   ]이 무엇인지 찾는다.

둘째, 각 부분에서 중요하지 않은 내용은 [   ]한다.

셋째, 중요한 사건이 일어난 원인과 그에 따른 [   ]를 찾는다.

넷째, 요약한 사건이 잘 어우러지도록 [   ]한다.

2 질문의 종류

이야기를 제대로 읽었는지를 확인하려면 질문을 만들어 묻고 답하는 것이 좋아요. 질문은 '왜', '만약', '어떻게' 등과 같은 말을 이용해서 만들 수 있어요.

🖊 빈칸에 알맞은 낱말을 [보기]에서 찾아 쓰고, 그와 알맞은 질문들을 연결해 보세요. (2개씩)

보기

사실   추론   평가

누가 그렇게 했나요?

❶ [   ] 질문

이야기에 직접 드러난
내용을 묻는 질문

왜 그렇게 했을까요?

그 까닭은 무엇일까요?

❷ [   ] 질문

이야기의 원인과 결과를
파악하기 위한 질문

사건이 언제 일어났나요?

만약 자신이라면
어떻게 했을까요?

❸ [   ] 질문

사실에 대한 가치 판단을
묻는 질문

그렇게 행동한 것이
과연 옳은 일일까요?

25

3 주제별 어휘 태양계

태양계는 태양을 비롯하여 태양 주위를 도는 별과 이들이 차지하는 공간이에요. 태양계에 존재하는 대표적인 행성들은 수성, 금성, 지구 등 여덟 개가 있어요.

✏️ 다음 설명에 알맞은 낱말을 그림에서 찾아 써 보세요.

1 태양계 여덟 행성 중 태양에 가장 가까이 있는 행성　⇨ ☐

2 지구에서 가장 밝게 보이며, 태양계 여덟 행성 중 태양에 두 번째로 가까운 행성　⇨ ☐

3 인류가 살고 있는 땅덩어리로, 태양계 여덟 행성 중 태양에 세 번째로 가까운 행성　⇨ ☐

4 태양계 여덟 행성 중 가장 크며, 태양에 다섯 번째로 가까운 행성　⇨ ☐

5 주위에 여러 개의 고리가 있으며, 태양계 여덟 행성 중 두 번째로 큰 행성　⇨ ☐

6 84년을 주기로 태양을 돌며, 태양계 여덟 행성 중 태양에 일곱 번째로 가까운 행성　⇨ ☐

4 상태를 나타내는 말 아늑하다

'아늑하다'는 '따뜻하고 포근한 느낌'을 나타내는 말이에요. 이와 같이 성질이나 상태를 나타내는 말을 '형용사'라고 해요.

🖊 밑줄 친 말과 바꿔 쓸 수 있는 낱말을 [보기]에서 찾아 써 보세요.

보기

| 괴상하다 | 섬뜩하다 | 아늑하다 | 허름하다 |
| 흉측하다 | 희멀겋다 | 으스스하다 | 뿌유스레하다 |

➊ 아침에 먹은 뭇국은 하얗고 매우 묽다. ⇨ ▢

➋ 이 집은 지은 지 20년이 넘어 좀 헌 듯하다. ⇨ ▢

➌ 범인의 웃음은 보기에 언짢을 만큼 고약하다. ⇨ ▢

➍ 안경에 김이 서려 뚜렷하지 못하고 약간 부옇다. ⇨ ▢

➎ 찬 새벽 바람이 몸에 닿아 소름 돋는 느낌이 있다. ⇨ ▢

➏ 외계인의 모습은 사람과 달라서 신기하고 이상하다. ⇨ ▢

➐ 누군가 뒤따라오는 소리에 소름이 끼치도록 끔찍하다. ⇨ ▢

➑ 그 마을은 산으로 둘러싸여 따뜻하고 포근한 느낌이 있다. ⇨ ▢

§ 자주 쓰는 말 쥐구멍을 찾다

🖉 빈칸에 알맞은 말을 [보기]에서 찾아 문장에 어울리도록 활용하여 써 보세요.

보기

그늘이 지다   앞뒤가 막히다   장단을 맞추다   정신을 차리다
쥐구멍을 찾다   코웃음을 치다   머리를 조아리다

1 _____ 보니 모든 게 꿈이었다.
　　　잃었던 의식을 되찾고

2 그는 걱정거리가 있는지 얼굴에 _____ .
　　　　　　　　　　　　　　마음이 편하지 않고 얼굴이 맑지 못했다.

3 거짓이 들통나자 _____ 들어가고 싶었다.
　　　　　　　부끄럽고 난처하여 어디라도 숨어

4 화가 난 친구는 내 부탁에 _____ 거절했다.
　　　　　　　　　　　깔보고 비웃으며

5 분위기가 어색하지 않게 친구들의 말에 _____ .
　　　　　　　　　　　　　　　남의 기분을 맞추기 위해 행동했다.

6 옆집 아저씨는 남의 얘기는 들을 줄 모르는 _____ 사람이다.
　　　　　　　　　　　　　　　　융통성이 없고 답답한

7 반장은 우리들 앞에서 소리를 지르더니 선생님 앞에서는 _____ .
　　　　　　　　　　　　　　　　　　　강하게 복종하듯 공손한 태도를 나타냈다.

28

6 바꿔 쓸 수 있는 말 수명

🖊 밑줄 친 낱말과 바꿔 쓸 수 있는 낱말에 ○표 하세요.

1 키우던 강아지가 수명을 다했다.
　　　　　　　살아 있는 기간. 나이
⟹　목숨　최선

2 대관령 목장에 양 떼가 가득하다.
⟹　먹이　무리

3 늦잠을 자서 엄마에게 핀잔을 들었다.
　　　　　　　언짢게 꾸짖거나 비꼬아 꾸짖는 것
⟹　꾸중　변명

4 심청은 공양미 삼백 석에 몸을 팔았다.
　　　　　　　곡식의 양을 세는 말. 한 석은 한 말의 열 배
⟹　되　섬

5 훌륭한 임금은 만인에게 은혜를 베푼다.
　　　　　　모든 사람
⟹　천민　만백성

6 주요 시설에는 곳곳을 감시하는 보초들이 많다.
　　　　　　　　경비를 서는 일. 또는 그 사람
⟹　경계병　군사

7 가뭄에 온 동네가 굶어 죽는다고 아우성이었다.
　　　　　　　　여럿이 외치거나
　　　　　　　　악을 쓰며 떠드는 소리
⟹　소란　엄살

7 잘못 쓰기 쉬운 말 1 해코지

✎ 다음 문장에 알맞은 낱말을 찾아 ○표 하세요.

1 나를 부르는 소리에 (흠짓 / 흠칫) 놀랐다.
몸을 움츠리며 갑작스럽게 놀라는 모양

2 그 조각상은 (언듯 / 언뜻) 보면 진짜 사람 같았다.
우연히 잠깐. 얼핏

3 범인의 (해꼬지 / 해코지)가 두려워 신고를 못 했다.
남을 해치고자 하는 짓

4 (폐지 / 페지)는 분리수거를 잘 하면 재활용하여 쓸 수 있다.

5 그는 가진 돈을 다 써 버리고 (빈털터리 / 빈털털이)가 되었다.

6 돈을 빌려 간 사실이 없는 것처럼 (시치미 / 시침이)를 뚝 뗐다.
자기가 하고도 아니한 체, 알고도 모르는 체하는 태도

7 바닥에 떨어진 과자 (부스러기 / 뿌스러기)를 보고 청소를 했다.

8 아버지는 집으로 돌아오시면서 선물 (꾸러미 / 꾸럼이)를 들고 오셨다.
꾸리어 싼 물건

8 잘못 쓰기 쉬운 말 2 −이, −히

'−이'나 '−히'로 끝나는 말 중에서 끝 글자를 '−이'로 적어야 하는지, '−히'로 적어야 하는지 헷갈릴 때에는 다음 기본적인 규칙을 외워 두도록 해요.

'−이'로 쓸 때
- ① 반복되는 말의 경우: 간간이, 겹겹이, 곳곳이…
- ② '−하다'가 붙을 수 없는 경우: 같이, 굳이, 깊이…
- ③ 'ㅅ' 받침 뒤: 기웃이, 나긋이…
- ④ 홀로 쓰이는 말 뒤: 곰곰이, 더욱이, 생긋이…

✎ 밑줄 친 부분에 '이'나 '히'를 넣어 문장에 알맞은 낱말을 써 보세요.

1 이 돈으로는 변변 ? 사 먹을 것이 없다.
모자람 없이 충분하게
➡ | 변 | 변 | |

2 강낭콩이 자라는 것을 자세 ? 관찰했다.
➡ | | | |

3 문제를 해결할 방안을 곰곰 ? 생각했다.
생각을 여러모로 깊이
➡ | | | |

4 차가 올 때까지 시간이 남아 느긋 ? 기다렸다.
여유 있고 넉넉한 태도로
➡ | | | |

5 제안에 선뜻 ? 동의하는 것이 내키지 않았다.
어려움 없이 금방. 쉽게
➡ | | | |

6 할머니는 그릇에 간식을 그득 ? 담아 주셨다.
꽉 차게
➡ | | | |

7 뒷산에는 올해도 여전 ? 진달래가 필 것이다.
➡ | | | |

8 신부는 신랑이 오기만을 다소곳 ? 기다렸다.
얌전하고 온순하게
➡ | | | | |

5일
월
일

9 흉내 내는 말 아슴아슴

🖉 빈칸에 알맞은 낱말을 [보기]에서 찾아 써 보세요.

보기

울뚝	벌러덩	쪼르르	후두두
불퉁불퉁	뽀그르르	아슴아슴	허둥허둥

1 나의 놀림에 동생은 [　　　] 화를 냈다.
성질이 급하여 말아나 행동이 드센 모양

2 다급한 마음에 [　　　] 옷을 주워 입었다.
어찌할 줄 모르고 다급하게 서두르는 모양

3 병아리들이 어미 닭의 뒤를 [　　　] 쫓아다닌다.
작은 발걸음을 빠르게 움직여 걷거나 따라다니는 모양

4 날이 어두워지더니, 빗방울이 [　　　] 떨어졌다.
빗방울이나 작은 돌이 갑자기 떨어지는 소리나 모양

5 저녁 식탁에 올릴 김치찌개가 [　　　] 잘도 끓는다.
적은 양의 액체가 빠르게 끓어오르는 모양

6 어릴 적 내가 살던 고향의 모습이 [　　　] 떠올랐다.
정신이 흐릿하고 몽롱한 모양

7 그는 집으로 돌아오자마자 [　　　] 자리에 누워 버렸다.
팔을 활짝 벌린 채 자빠지거나 눕는 모양

8 지난 삶이 말해 주듯, 할머니의 손은 **뼈마디**가 [　　　] 튀어나와 있다.
여기저기 툭툭 불거져 있는 모양

32

10 낱말 퀴즈

✏️ 빈칸에 알맞은 낱말을 주어진 글자 카드로 만들어 써 보세요.

1 동네 [ ]이 개울가에서 빨래를 하고 있다.

　　　　남의 집 결혼한 여자를 이르는 말

2 고을 원님이 [ ]을 거느리고 순찰을 나섰다.

　　　　조선 시대, 낮은 계급의 병사

3 그는 추운 겨울이면 불우한 이웃에게 [ ]을 베푼다.

　　　　착한 일을 많이 함.

✏️ 주어진 뜻을 참고하여 빈칸에 알맞은 글자를 써 보세요.

1 ㉠ 짙은 푸른 빛
　　㉡ 얼굴의 빛깔. 얼굴색

2 ㉢ 눈썹 아랫부분과 눈꺼풀
　　㉣ 사물이나 마음의 한구석이나 부분

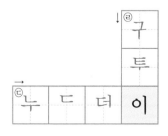

33

타교과 어휘 과학

🖊 빈칸에 알맞은 낱말을 써서 문장을 완성해 보세요.

① 건축가는 집을 짓기 전에 건물 [모][혀]을 만들었다.
실물을 모방하여 만든 물건

② 설문 조사를 할 때에는 [표][보] 집단을 신중하게 정할 필요가 있다.
본보기나 표준이 될 만한 것

③ 김치, 치즈, 빵과 같은 음식들은 [바][효] 과정을 거쳐서 만들어진다.
미생물의 작용으로 유기물이 화학적으로 변하는 현상

④ 그 과학자는 자신의 이론을 뒷받침하는 몇 가지 [가][서]을 제시했다.
자연이나 사물의 현상에 대해 임시로 낸 결론

⑤ 문제를 해결하기 위해 회의를 계속했지만 결론을 [도][추]하지는 못했다.
판단이나 결론을 이끌어 냄.

⑥ 빵을 숙성시킬 때 잘 부풀어 오르게 하기 위해서는 [효][모]를 넣어야 한다.
술이나 빵을 만드는 데 널리 쓰이는 균

⑦ 실험을 할 때에는 결과에 영향을 주는 여러 가지 [벼][이]을 통제할 수 있어야 한다.
성질, 모습, 상태 등이 변하게 하는 원인

✏️ 주어진 뜻에 알맞은 낱말을 박스 안에서 찾아 써 보세요.

관측자

천체   자전

지구의

중력

공전   별자리

① 지구를 본 떠 만든 모형   ⇨ [　　]

② 우주의 물체가 자체의 축을 중심으로 회전하는 운동   ⇨ [　　]

③ 우주에 자리 잡고 있는 행성, 성운과 같은 모든 물체   ⇨ [　　]

④ 지구가 태양을 중심으로 일 년에 한 번씩 회전하는 운동   ⇨ [　　]

⑤ 밤하늘에 어떤 형상을 이루듯 같이 모여 있는 별의 무리   ⇨ [　　]

⑥ 지구의 모든 물체에 작용하는, 지구 중심으로 잡아당기는 힘   ⇨ [　　]

⑦ 우주의 물체나 날씨의 상태, 변화 따위를 관찰하고 측정하는
사람   ⇨ [　　]

35

다음 빈칸에 글자를 넣어 낱말을 완성하세요.

1 허 ☐ 하다 — 좀 헌 듯하다.

2 ☐ 러 ☐ — 꾸리어 싼 물건

3 ☐ 멀 ☐ 다 — 하얗고 매우 맑다.

4 ☐ 코 ☐ — 남을 해치고자 하는 짓

5 섬 ☐ 하다 — 소름이 끼치도록 끔찍하다.

6 ☐ 단 — 이야기의 사건이 시작되는 부분

7 ☐ 잔 — 언짢게 꾸짖거나 비꼬아 꾸짖는 것

8 ☐ 성 — 태양계 여덟 행성 중 태양에 가장 가까이 있는 행성

9 시 ☐ 미 — 자기가 하고도 아니한 체, 알고도 모르는 체하는 태도

10 ☐ 성 — 주위에 여러 개의 고리가 있으며, 태양계 여덟 행성 중 두 번째로 큰 행성

정답 1. 름   2. 꾸, 미   3. 희, 겋   4. 해, 지   5. 뜩   6. 발   7. 핀   8. 수   9. 치   10. 토

36

11 다 □ 곳 □ ▶ 얌전하고 온순하게

12 적 □ ▶ 착한 일을 많이 함.

13 변변 □ ▶ 모자람 없이 충분하게

14 □ 본 ▶ 본보기나 표준이 될 만한 것

15 □ 초 ▶ 경비를 서는 일. 또는 그 사람

16 □ 습 □ 습 ▶ 정신이 흐릿하고 몽롱한 모양

17 귀 □ 이 ▶ 사물이나 마음의 한구석이나 부분

18 □ 모 ▶ 술이나 빵을 만드는 데 널리 쓰이는 균

19 □ 뚝 ▶ 성질이 급하여 말이나 행동이 드센 모양

20 □ 전 ▶ 우주의 물체가 자체의 축을 중심으로 회전하는 운동

정답 **11.** 소, 이   **12.** 선   **13.** 히   **14.** 표   **15.** 보   **16.** 아, 아   **17.** 퉁   **18.** 효   **19.** 울   **20.** 자

3장 짜임새 있게 구성해요

 국어 교과서 94~117쪽

1 발표하기

발표는 어떤 사실이나 결과를 세상에 널리 드러내어 알릴 때에 쓰는 말하기 방법이에요. 여러 사람 앞에서 말하는 방법이므로 몇 가지 주의해야 할 점들이 있어요.

🖉 다음은 발표의 준비 과정이에요. 빈칸에 알맞은 낱말을 [보기]에서 찾아 써 보세요.

보기

매체	복잡	정리	조정	출처	화제

첫째, 듣는 이가 관심을 가질 만한 [　　　　]를 선택한다.
　　　　　　　　　　　　　　　　　이야깃거리

둘째, 내용을 효과적으로 전달할 수 있는 [　　　　] 자료를 선택한다.
　　　　　　　　　　　　　　　　　　　어떤 정보를 널리 전달하는 수단

셋째, 자료는 너무 길거나 [　　　　]하지 않은 내용으로 준비한다.
　　　　　　　　　　　　　여럿이 겹치고 뒤섞임.

넷째, 자료를 활용할 때에는 자료를 가져온 [　　　　]를 꼭 밝힌다.
　　　　　　　　　　　　　　　　　　　사물이나 말 따위가 생기거나 나온 근거

다섯째, 듣는 이가 이해하는지를 살피며 말하는 방법을 [　　　　]한다.
　　　　　　　　　　　　　　　　　　　　　　어떤 기준에 알맞게 맞추는 것

여섯째, 끝맺는 말에는 발표한 내용을 간단하게 [　　　　]한다.
　　　　　　　　　　　　　　　　　　　어지러운 것은 가지런하고 바르게 하는 것

38

2 주제별 어휘 1 매체, 자료

우리가 정보를 전달할 때에 사용하는 수단을 '매체'라고 해요. '도표', '사진', '동영상'과 같은 자료들도 '매체'의 한 종류로 볼 수 있지요.

✎ 다음은 매체를 구분한 것입니다. 빈칸에 알맞은 낱말을 써 보세요.

매체

ㅇ ㅅ 매체 ⇨ 신문, 잡지, 책 등
글, 그림, 사진 등을 종이에 그대로 찍는 매체

ㅂ ㅅ 매체 ⇨ 라디오, 텔레비전 등
전파를 통해 소리나 그림을 사람들에게 전달하는 매체

ㅌ ㅅ 매체 ⇨ 컴퓨터, 무전기, 전화기 등
주파수를 이용해 정보나 의사를 주고받는 매체

✎ 다음 매체 자료의 특성으로 가장 알맞는 것을 찾아 연결하세요.

① 도표 •

• 수량의 변화 정도나 수치를 뚜렷하게 나타낼 수 있다.

② 사진 •

• 음악이나 자막을 넣어 분위기를 잘 전달할 수 있다.

③ 동영상 •

• 대상의 실제 모습을 한눈에 보여 줄 수 있다.

3 주제별 어휘 2 직업

사라진 직업과 새로 생겨난 직업을 살펴보면 우리 사회의 변화상을 짐작해 볼 수 있어요.

✏️ 다음 그림이 설명하는 직업이 무엇인지 써 보세요.

사라진 직업	생겨난 직업

ㅂ 부 ㅅ

봇짐이나 등짐을 메고 물건을 파는 사람

큐 ㄹ ㅇ ㅌ

미술관에서 작품 관리, 전시회 기획 등의
일을 담당하는 사람

ㅈ 호 교 ㅎ 워

전화 신청을 접수 받아 전화를 교환·접속해
주는 일을 하는 사람

프 ㄹ ㄱ ㄹ ㅁ

컴퓨터 프로그램을 만드는 사람

버 스 아 ㄴ 워

버스에서 승객이 타고 내리는 일을 관리하는 사람

ㅅ ㅎ ㅂ ㅈ ㅅ

사회적으로 보살핌이 필요한 사람들을
전문적으로 도와주는 사람

4 주제별 어휘 3 선거

선거는 민주주의를 실현하는 가장 기본적인 방법이에요. 선거를 통해 우리의 뜻을 대신 전달할 대표자를 뽑게 되지요.

✎ 다음은 각 지역의 일꾼을 뽑는 선거 절차입니다. 빈칸에 알맞은 낱말을 써 보세요.

❶ 선거 관리 위원회가 선거 | 이 | 지 |을 공지합니다.
정해진 기간 동안 해야 할 일이나 짜 놓은 계획

❷ 후보자는 추천장과 등록 신청서를 제출함으로써 | 추 | ㅁ |를 선언합니다.
선거에 후보자로 나서는 것

❸ 후보자가 선거 운동을 하며 | 고 | ○ |을 밝힙니다.
선거의 후보자가 모든 사람에게 약속하는 것

❹ | ○ | 권 | ㅈ |는 선거일에 정해진 장소에서 소중한 한 표를 행사합니다.
선거할 권리를 가진 사람

❺ 투표한 용지를 모아 | ㄱ | ㅍ |하고, 결과를 정리하여 발표합니다.
투표함을 열고 투표의 결과를 알아보는 것

❻ 발표 결과를 토대로 | 다 | 서 | ㅈ |를 확정합니다.
선거에서 뽑힌 사람

5 뜻이 반대인 말 비(非)-, 불(不)-

낱말의 앞에 '비-'나 '불-'을 덧붙여 반대말을 만들 수 있어요. 그런데 '비-'가 붙을 수 있는 말과 '불-'이 붙을 수 있는 말이 정해져 있으므로 주의해야 해요.

가능 ↔ **불가능**
비가능(×)

공식 ↔ **비공식**
불공식(×)

✏️ 밑줄 친 낱말을 반대말로 고쳐 문장을 완성하려고 해요. 알맞은 낱말을 찾아 ○표 하세요.

1 마음만 먹으면 <u>가능</u>이란 없다. ⇨ 불가능 비가능

2 이 시스템은 오류가 많아 <u>완전</u>하다. ⇨ 불완전 비완전

3 각국의 장관들이 모여 <u>공식</u> 회담을 열었다. ⇨ 불공식 비공식
국가나 공공 기관에서 정한 방식이나 형식

4 그는 교통사고로 전국 대회 출전이 <u>투명</u>하다. ⇨ 불투명 비투명

5 그녀가 탈락한 것은 규칙이 <u>공정</u>했기 때문이다. ⇨ 불공정 비공정
공평하고 올바름.

6 그 작품은 <u>현실</u>적 요소를 감각적으로 그려 냈다. ⇨ 불현실 비현실

7 <u>위생</u>적인 음식을 먹으면 식중독에 걸릴 수 있다. ⇨ 불위생 비위생

6 뜻을 더하는 말 1 –권(權)

'–권(權)'은 '권리' 또는 '권한'의 의미를 더해 주는 말이에요.

권(權) → 저작권, 사법권, 참정권, 소유권 등
권리, 권한

✎ 밑줄 친 낱말의 알맞은 뜻을 찾아 번호를 써 보세요.

1 사법권은 법원에 속해 있다. (　　)

① 국민의 도덕성을 심판하는 권한
② 어떤 일을 일정한 법에 따라 판단하는 권한

2 우리나라는 국민의 평등권을 보장한다. (　　)

① 모든 면에서 차별받지 않을 권리
② 국가에 의하여 자유를 제한받지 아니하는 권리

3 시민들은 참정권을 얻기 위해 시위를 벌였다. (　　)

① 정치에 참여할 수 있는 권리
② 권력을 마음대로 휘두를 수 있는 권리

4 그 작가는 작품에 대한 저작권이 자신에게 있음을 밝혔다. (　　)

① 아무런 간섭을 받지 않고 작품을 만들 수 있는 권리
② 작품을 지은 사람이 자기가 지은 것에 대해 가지는 권리

5 이혼하는 부부들은 자녀의 양육권을 두고 소송을 하기도 한다. (　　)

① 아이의 진로를 정할 수 있는 권리
② 아이를 보살피고 키울 수 있는 권리

6 마을 사람들은 마을 중앙에 있는 우물에 대한 소유권을 주장했다. (　　)

① 가진 물건이나 재산에 대해 지배할 수 있는 권리
② 가진 물건이나 재산을 싼 가격에 이용할 수 있는 권리

7 뜻을 더하는 말 2 −질

일반적으로 '동작이나 행동'을 가리키는 말로 쓰이는 '−질'은 부정적 뜻으로 사용되기도 해요.

−질
- ① 동작이나 행동을 나타낼 때
- ② 잘못된 행동을 나타낼 때
- ③ 직업을 부정적으로 평가할 때

✎ 다음 낱말들을 포함하고 있는 뜻에 따라 나누어 써 보세요.

회장질	선생질	손가락질	자랑질	부채질
		목수질		바느질
걸레질	군것질	싸움질	도둑질	순사질

① 동작이나 행동을 나타냄. ⇨

② 잘못된 행동을 나타냄. ⇨

③ 직업 등을 천하거나 부정적으로 나타냄. ⇨

44

8 뜻을 더하는 말 3 -적(的)

'-적'은 다른 낱말의 뒤에 붙어 '그 성격을 띠는', '그에 관계된'의 뜻을 더하는 말이에요.

-적(的) → 도전적 / 자주적 / 사회적 / 창의적 / 효과적

🖊 밑줄 친 낱말의 뜻풀이가 적절하도록 빈칸에 알맞은 낱말을 써 보세요.

❶ 사람은 <u>사회적</u> 동물이다.

⇨ ☐무☐리☐ 를 이루어 살려고 하는 성질을 지닌

❷ 이 일은 우리에게 주어진 <u>도전적인</u> 과제이다.

⇨ 어려운 일에 ☐용☐감☐ 하게 뛰어드는

❸ 발명가가 되려면 <u>창의적인</u> 사람이 되어야 한다.

⇨ 없던 것을 ☐처☐음☐ 으로 생각해 내는

❹ 단백질은 사람의 몸을 구성하는 <u>핵심적</u> 영양소이다.

⇨ 가장 ☐주☐심☐ 이 되는

❺ 물을 자주 섭취하는 것은 감기를 예방하는 <u>효과적인</u> 방법이다.

⇨ 어떤 일을 하여 생기는 좋은 ☐결☐과☐ 가 있는

❻ 이 그림을 그린 예술가는 세련되고 <u>감각적인</u> 인물임에 틀림없다.

⇨ 감각이나 자극에 ☐예☐민☐ 한

⑨ 낱말 퀴즈

🖊 다음 빈칸에 알맞은 낱말을 써서 문장을 완성해 보세요.

① 사람은 누구나 교육을 받을 권 리 가 있다.

어떤 일을 자기 마음대로 할 수 있는 자격

② 그는 맡은 일을 해내기에는 여 량 이 부족하다.

어떤 일을 해낼 수 있는 힘과 능력

③ 개미들이 혀 력 하여 열심히 먹이를 나르고 있다.

힘을 합하여 서로 도움.

④ 친구 간에는 서로 믿고 의지하는 시 로 가 필요하다.

속이지 않으리라고 믿는 것

⑤ 대통령은 이번 일을 잘 마무리하겠다는 ㅇ ㅈ 를 보였다.

어떠한 일을 이루고자 하는 마음

⑥ 누가 잘못했는지는 법과 워 ㅊ 에 따라 심판받으면 될 일이다.

어떤 행동이나 이론에서 지켜야 하는 기본적인 규칙이나 법칙

⑦ ㄱ ㅈ 력 을 갖춘 기업만이 세계 시장에서 살아남을 수 있다.

경쟁할 만한 힘. 또는 그런 능력

⑧ 피카소가 그린 그림 중에는 차 ㅇ 성 이 돋보이는 작품들이 많다.

새로운 것을 생각해 내는 특성

46

✏️ 빈칸에 알맞은 낱말을 주어진 글자 카드로 만들어 써 보세요.

| 문 | 발 | 분 | 성 | 야 | 전 | 휘 |

1 프로 파일러는 범죄를 수사하는 일에 있어서 [   ] 을 갖고 있다.
전문적인 성질 또는 특성

2 환경 문제를 해결하기 위해 여러 [   ] 의 전문가들이 한자리에 모였다.
사회 활동의 여러 갈래 중의 하나

3 그동안 쌓아 온 실력을 [   ] 하여 이번 시험에서 좋은 성적을 거둘 것이다.
재능, 능력 따위를 펼쳐 나타냄.

| 계 | 발 | 부 | 술 | 심 | 자 | 학 |

4 그는 자신의 희생으로 나라를 구했다는 [   ] 을 갖고 있었다.
스스로 자기의 가치나 능력을 믿고 당당히 여기는 마음

5 평소에 자기 [   ] 을 한 사람은 기회가 왔을 때에 그것을 잡을 수 있다.
슬기나 재능, 생각 따위를 일깨워 줌.

6 대학에서는 매년 연구에 대한 결과를 나누기 위해 [   ] 강연회를 연다.
학문과 예술

🖉 빈칸에 [보기]의 낱말을 넣어 문장을 완성해 보세요.

```
┌──────────────────────── 보기 ────────────────────────┐
│   사교      의무      이기      자주      정신      헌신   │
└──────────────────────────────────────────────────────┘
```

1 부모는 대개 [ ][ ][적]으로 자식을 뒷바라지한다.

　　　몸과 마음을 바쳐 있는 힘을 다하는. 또는 그런 것

2 국민은 벌어들인 수입에 대해 [ ][ ][적]으로 세금을 낸다.

　　　마음이 어떻든 상관없이 해야만 하는. 또는 그런 것

3 현대인은 물질적으로는 풍족하지만 [ ][ ][적]으로는 무척 가난하다.

　　　정신에 관계되는. 또는 그런 것

4 요즘은 자신만 알고 남을 생각할 줄 모르는 [ ][ ][적]인 학생들이 많다.

　　　자기 자신의 이익만을 꾀하는. 또는 그런 것

5 이번 학생 회장은 [ ][ ][적]이어서 교내에서 친하지 않은 학생이 없다.

　　　여러 사람과 쉽게 잘 사귀는. 또는 그런 것

6 우리의 영토는 외세의 간섭을 받지 않고 [ ][ ][적]으로 지킬 수 있어야 한다.

　　　남의 보호나 간섭을 받지 아니하고 자기 일을 스스로 처리하는.
　　　또는 그런 것

✏️ 사다리를 따라 합쳐질 수 있는 말을 확인하고, 그 뜻을 [보기]에서 찾아 기호로 써 보세요.

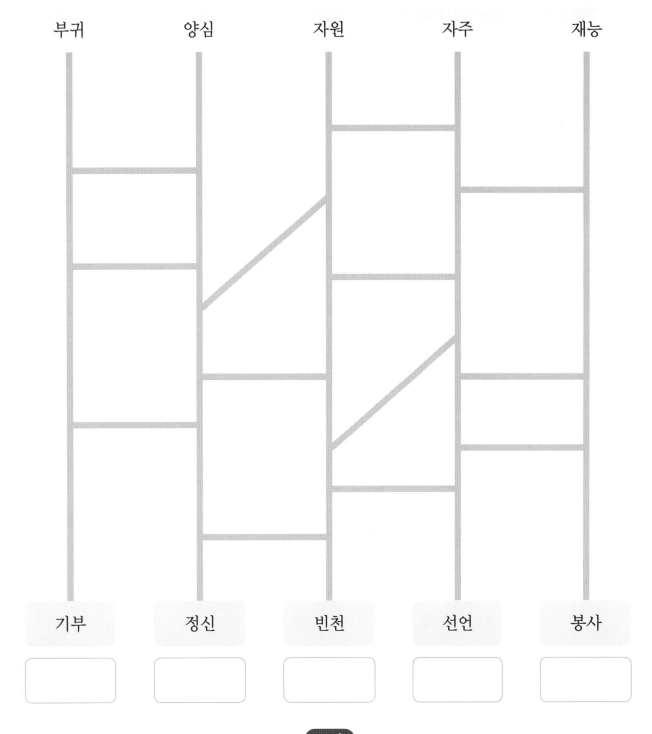

부귀　　양심　　자원　　자주　　재능

기부　　정신　　빈천　　선언　　봉사

보기

㉠ 남의 간섭이나 보호를 받지 않고 스스로 일을 처리하려는 정신

㉡ 감추어진 나쁜 일들을 양심에 따라 사회에 드러내어 알리는 일

㉢ 재산이 많고 지위가 높은 것과 가난하고 천한 것을 아울러 이름.

㉣ 어떤 일을 대가 없이 자발적으로 참여하여 도움. 또는 그런 활동

㉤ 자선 사업이나 공공사업을 돕기 위하여 개인의 재주와 능력을 대가 없이 내놓는 일

어휘력을 높이는 확인 학습

다음 빈칸에 낱말을 넣어 문장을 완성하세요.

매체

어떤 정보를 널리 전달하는 수단

(예) 신문, 잡지, 책 등을 인쇄 ☐☐ 라고 한다.

출마

선거에 후보자로 나서는 것

(예) 나의 가장 친한 친구가 반장 선거에 ☐☐ 하였다.

보부상

봇짐이나 등짐을 메고 물건을 파는 사람

(예) ☐☐☐ 은 물건을 팔기 위해서라면 어디든 간다.

계발

슬기나 재능, 생각 따위를 일깨워 줌.

(예) 특별 활동은 학생들의 소질을 ☐☐ 하는 기회가 된다.

저작권

작품을 지은 사람이 자기가 지은 것에 대해 가지는 권리

(예) 글쓴이는 자신의 글에 대한 ☐☐☐ 을 가지고 있다.

출처

사물이나 말 따위가 생기거나 나온 근거

(예) 다른 사람의 글을 빌려올 때에는 ☐☐ 를 밝혀야 한다.

원칙

어떤 행동이나 이론에서 지켜야 하는 기본적인 규칙이나 법칙

(예) 선생님은 학생의 사정을 봐 주지 않고 ☐☐ 대로 벌점을 주었다.

큐레이터

미술관에서 작품 관리, 전시회 기획 등의 일을 담당하는 사람

(예) ☐☐☐☐ 에게 작품에 대한 설명을 들으니 이해가 잘 되었다.

신뢰
> 속이지 않으리라고 믿는 것
> ⟨예⟩ 소비자는 유명한 기업의 제품일수록 ☐☐ 한다.

공약
> 선거의 후보자가 모든 사람에게 약속하는 것
> ⟨예⟩ 후보자들은 선거 운동을 하면서 ☐☐ 을 내걸었다.

군것질
> 식사 외에 간식 등을 먹는 일
> ⟨예⟩ 식사를 하기 전에 ☐☐☐ 을 했더니 밥맛이 없다.

핵심적
> 가장 중심이 되는
> ⟨예⟩ 이 글에서 밑줄 친 부분이 가장 ☐☐☐ 내용이다.

의무적
> 마음이 어떻든 상관없이 해야만 하는
> ⟨예⟩ 이번 행사에는 누구나 ☐☐☐ 으로 참석해야 한다.

역량
> 어떤 일을 해낼 수 있는 힘과 능력
> ⟨예⟩ 반장은 우리 반을 이끌어 나갈 만한 충분한 ☐☐ 을 갖추고 있다.

발휘
> 재능, 능력 따위를 펼쳐 나타냄.
> ⟨예⟩ 모처럼 아버지가 요리 실력을 ☐☐ 하여 저녁상을 차렸다.

이기적
> 자기 자신의 이익만을 꾀하는
> ⟨예⟩ 다른 사람은 생각하지 않고 자기가 먹을 것만 챙기는 그는 ☐☐☐ 이다.

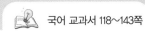
1 논설문

논설문은 독자가 공감할 수 있도록 어떤 사실이나 현상, 가치 등에 대해 자신의 주장을 논리적으로 쓴 글을 말해요.

✏ 다음은 논설문의 특징을 설명한 글입니다. 빈칸에 알맞은 낱말을 써 보세요.

논설문은 ❶　　　 – 본론 – 결론'의 구성으로 이루어져 있습니다. 서론에서는 글을 쓴 문제 상황과 글쓴이의 주장을 밝힙니다. 본론에서는 글쓴이의 주장에 대한 ❷　　　를 제시합니다. 결론에서는 전체 글의 내용을 ❸　　　하거나 글쓴이의 주장을 강조하며 마무리합니다. 논설문을 쓸 때에는 자신의 견해나 관점을 정확하게 표현하는 것이 중요하므로, 의미가 분명하지 않은 ❹　　　한 표현은 쓰지 않도록 합니다.

❶ 긴 글이나 말에서 본론으로 이끌어 가는 맨 앞의 부분 ⇨ | ㅅ | ㄹ |

❷ 어떤 주장이나 의견이 옳음을 뒷받침하는 까닭 ⇨ | ㄱ | ㄱ |

❸ 말이나 글에서 중요한 내용만 뽑아 간추린 것 ⇨ | ㅇ | ㅇ |

❹ 말이나 태도 등이 분명하지 않음. ⇨ | ㅁ | ㅎ |

2 쓰임을 바꾸는 말 –하다

어떤 낱말에 '–하다'가 붙으면 움직임이나 상태를 나타내는 말로 쓰여요.

✎ 빈칸에 알맞은 낱말을 [보기]에서 찾아 써 보세요.

보기

| 감당 | 고유 | 복원 | 유래 | 유발 | 제시 | 탈바꿈 |

1 이 마을의 이름은 전설에서 ⬚ 하였다.
사물이나 일이 생겨남.

2 움직이는 장난감은 아기의 흥미를 ⬚ 한다.
어떤 것이 다른 일을 일어나게 함.

3 지진으로 파괴된 건물과 도로를 ⬚ 하였다.
원래대로 회복함.

4 지은이는 서론에 글을 쓴 목적을 ⬚ 하였다.
무엇을 하고자 하는 생각을 말이나 글로 나타내어 보임.

5 윷놀이는 우리 민족의 ⬚ 한 전통 놀이이다.
오래된 집단이나 사물 등이 본래부터 지니고 있음.

6 공업 도시 울산이 자연과 공존하는 숲속 도시로 ⬚ 하였다.
원래의 모양이나 형태를 바꿈.

7 이 제품은 가격이 비싸 초등학생의 용돈으로 ⬚ 하기 어렵다.
일 따위를 맡아서 능히 해냄.

3 바꿔 쓸 수 있는 말 적용하다

✎ 밑줄 친 낱말의 기본형을 쓰고, 바꿔 쓸 수 있는 낱말을 [보기]에서 찾아 써 보세요.

보기

넓다　　퍼지다　　간섭하다　　위협하다　　이용하다　　이행하다

1 수학 공식을 <u>적용하여</u> 문제를 풀었다.

⇨ | 적용하다 | ≒ | | |

알맞게 이용하거나 맞추어 쓰다.

2 흉기로 행인을 <u>협박한</u> 범인이 체포되었다.

⇨ | | ≒ | |

겁을 주며 남에게 억지로 어떤 일을 하도록 하다.

3 그의 집은 <u>광활한</u> 대지 위에 자리하고 있다.

⇨ | | ≒ | |

막힌 데가 없이 트이고 넓다.

4 나는 이번 방학에 세운 계획을 모두 <u>실천할</u> 예정이다.

⇨ | | ≒ | |

생각한 바를 실제로 행하다.

5 남의 일에 지나치게 <u>참견하는</u> 것은 주제넘은 짓이다.

⇨ | | ≒ | |

관계없는 일이나 말에 끼어들어 이래라저래라 하다.

6 잡초는 그냥 두면 쉽게 <u>번성하여</u> 농작물에 해를 끼친다.

⇨ | | ≒ | |

한창 성하게 일어나 퍼지다.

4 형태는 같은데 뜻이 다른 말 단정하다

✎ 빈칸에 공통으로 들어갈 낱말을 써 보세요.

1

① 공부에 열심인 형은 보통 ☐☐이 넘어서 들어온다.
밤 열두 시

② 건강한 자연은 어느 정도의 ☐☐ 능력을 갖추고 있다.
오염된 것이 저절로 깨끗해짐.

2

① 우리는 ☐☐이 없는 자유로운 분위기에서 일한다.
행동이나 생각의 자유를 제한함.

② 투수는 ☐☐만 빠르다고 인정받는 것은 아니다.
야구에서, 투수가 던지는 공의 속도

3

① 입가에 미소가 ☐☐☐.
은근히 드러나다.

② 사촌 동생은 나보다 두 살이 ☐☐☐.
나이가 적다.

4

① 그 신사의 옷차림은 매우 ☐☐☐☐.
옷차림, 몸가짐이 얌전하고 바르다.

② 증거를 찾은 형사가 범인을 ☐☐☐☐.
딱 잘라서 판단하고 결정하다.

55

5 뜻을 더하는 말 −성(性)

'−성(性)'은 '성질'의 의미를 더해 주는 말이에요.

성(性) → 우수성, 일관성, 논리성 등
성질

🖋 빈칸에 알맞은 낱말을 [보기]에서 찾아 써 보세요.

보기

우수성　　일관성　　논리성　　인간성　　적극성　　정확성

① 그 시계는 초침이 느려 [　　　　] 이 부족하다.
바르고 확실한 정도

② 어떤 일이든 처음 배울 때에는 [　　　　] 이 필요하다.
긍정적이고 능동적으로 활동하는 성질

③ 국가 정책에 [　　　　] 이 없으면 국민이 정부를 믿지 않는다.
처음부터 끝까지 한결같은 성질

④ 세계 곳곳에서 우리나라 사람들의 [　　　　] 이 드러나고 있다.
여럿 가운데 뛰어난 성질

⑤ 주장하는 글은 설득이 목적이므로 [　　　　] 을 갖추어야 한다.
논리(이치)에 맞는 성질

⑥ 이번 불우 이웃 돕기 행사를 통해 그 친구의 [　　　　] 을 알게 되었다.
사람의 됨됨이

56

6 잘못 쓰기 쉬운 말 싫증

✎ 다음 문장에서 알맞은 낱말을 찾아 ○표 하고, 바르게 써 보세요.

1 건물 벽에 담쟁이덩굴이 (얽혀 / 얼켜) 있다. ⇨

2 해녀가 바다에서 (멍개 / 멍게)를 따고 있다. ⇨

3 사람들의 소리에 귀를 (기울이다 / 귀울이다). ⇨

4 각종 쓰레기들로 지구가 몸살을 (알다 / 앓다). ⇨

5 같은 장면을 계속 보니까 (실증 / 싫증)이 난다. ⇨

6 며칠째 내리는 눈 때문에 산속에 (갇히다 / 가치다). ⇨

7 무분별한 도시 개발로 자연을 (홰손하다 / 훼손하다). ⇨

🕖 낱말 퀴즈

✏️ 빈칸에 알맞은 낱말을 써서 문장을 완성해 보세요.

1 봄에는 새로 돋는 각종 | ㄴ | 무 |이 입맛을 돋운다.
사람이 먹을 수 있는 풀이나 나뭇잎 등

2 어떤 식물은 특정한 | ㅌ | 야 |과 기후에서만 자란다.
지구를 덮고 있는 흙

3 전라남도 영광의 | ㅌ | ㅅ | 무 |로 굴비가 유명하다.
어떤 지역의 특별한 산물

4 고구마를 먹을 때에는 | 도 | ㅊ | ㅁ | 국물이 제격이다.
겨울철 통무에 소금물을 붓고 담근 맑은 김치

5 정부는 중금속 오염이 의심되는 | ㅇ | ㅍ | 류 |의 수입을 금지했다.
물고기와 조개류를 함께 이르는 말

6 정화 작업으로 주변의 | 새 | ㅌ | ㄱ |가 원래의 모습으로 돌아왔다.
어느 환경에 사는 생물군과 관련된 모든 체계

7 김치, 청국장 등 우리 고유의 음식들은 | 하 | 암 | 효과가 뛰어나다.
암세포의 증식을 억제하거나 암세포를 죽임.

8 미세 먼지가 많은 날에는 | ㅎ | 도 | 작용을 하는 음식을 많이 섭취하세요.
몸 안에 들어간 독성 물질의 작용을 없앰.

8 끝말잇기

✏️ 빈칸에 알맞은 낱말을 넣어 끝말잇기를 완성해 보세요.

김장

올해는 배추 농사가 잘되어 ☐☐할 비용이 적게 들겠다.
겨우내 먹기 위해 김치를 한꺼번에 많이 담그는 일

장 여

상한 음식을 먹고 나서 ☐☐에 걸렸다.
창자에 염증이 생겨 복통, 설사 같은 증상이 있는 병

여 ㅈ

식품을 ☐☐하면 저장 기간을 늘릴 수 있다.
소금에 절여 저장함.

ㅈ ㅁ

지루한 ☐☐가 그치더니 무더위가 찾아왔다.
여름철에 계속해서 비가 내리는 현상

ㅁ ㄷ ㄱ

동네 사람들이 ☐☐☐을 보기 위해 둘러앉았다.
동네 마당에서 하는, 주로 사회를 고발하는 내용의 연극

ㄱ ㅈ ㅂ

☐☐☐은 너무 추워 식물들이 잘 살지 못한다.
남극 지방과 북극 지방

ㅂ ㄱ

☐☐하신 말씀을 다시 좀 해 주세요.
바로 조금 전에

ㄱ ㅅ ㄱ ㅅ

예로부터 우리나라는 경치가 아름다워 ☐☐☐☐이라고 불리었다.
아름다운 산천이라는 뜻으로, 우리나라의 산천을 비유하는 말

9 띄어쓰기 같다

'같다'가 앞말과 붙어서 하나의 낱말이 된 경우는 붙여 쓰고, 그 밖의 경우는 띄어 써야 해요.

똑같다 / 감쪽같다

백옥 같다 / 큰 것 같다

✎ 다음 문장을 주어진 횟수에 따라 바르게 띄어 써 보세요.

① 우리는태어난동네가서로같다. (4회)

우										
로										

② 그집의식구들은목소리가똑같다. (4회)

그										
가										

③ 종이로만든꽃이진짜같이감쪽같다. (4회)

종										
이										

60

4 하늘을보니가을이느껴지는것같다. (5회)

하													
지													61

5 구름이많은것을보니비가올것같다. (7회)

구												
비												

6 똑같은시험을보았는데성적이모두다르다. (5회)

똑											
성											

7 어려운친구를도울줄아는그는마음이천사같다. (8회)

어									
아									
같									

✏️ 다음 설명에 알맞은 낱말을 써 보세요.

1 입체도형을 펼쳐서 평면에 나타낸 그림 ⇒ 전 ㄱ 도

2 입체도형의 모양을 잘 알 수 있게 실선과 점선으로 나타낸 그림 ⇒ 겨 냐 도

✏️ 다음 설명에 알맞은 낱말을 쓰고, 그에 어울리는 도형을 [보기]에서 찾아 기호를 써 보세요.

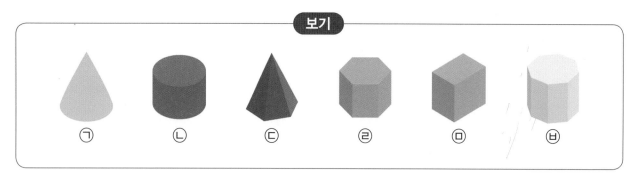

보기

ㄱ ㄴ ㄷ ㄹ ㅁ ㅂ

1 밑면이 원이고, 옆면이 곡면인 뿔 모양의 입체도형 ⇒ ㅇ 뿔

2 밑면이 다각형이고, 옆면이 삼각형인 뿔 모양의 입체도형 ⇒ 가 뿔

3 위아래의 면이 서로 평행이고 합동인 원으로 된 입체도형 ⇒ ㅇ ㄱ 두

4 위아래의 면이 서로 평행하고 합동인 다각형으로 된 입체도형 ⇒ 가 ㄱ 두

밑줄 친 낱말의 알맞은 뜻을 찾아 번호를 써 보세요.

1 공공요금이 지난해와 같은 비율로 올랐다.   (   )

① 한쪽의 양이나 수에서 다른 쪽의 양이나 수를 뺀 값
② 한 수를 기준으로 일정하게 늘이거나 줄여서 나타낸 수

2 우리 학교 남학생과 여학생의 비는 5 : 4이다.   (   )

① 두 대상의 무게 차이
② 한 수나 양이 다른 것의 몇 배가 되는지를 보여 주는 관계

3 우리 반 학생들의 평균 키는 160 센티미터이다.   (   )

① 여러 수를 모두 합한 것
② 여러 수의 합을 그 여럿으로 나눈 결과

4 직육면체의 부피는 밑변의 넓이와 높이를 곱하면 구할 수 있다. (   )

① 물체 겉면의 넓이
② 입체가 차지하는 공간의 크기

5 날씨에 따른 온도 변화를 측정한 학생들은 결과를 그래프로 나타내었다.   (   )

① 변화를 한눈에 알아볼 수 있도록 나타낸 직선이나 곡선
② 여러 가지 일을 그림으로 그리거나 사진을 찍어 발행한 인쇄물

어휘력을 높이는 확인 학습

다음 빈칸에 글자를 넣어 낱말을 완성하세요.

1 [ ]확[ ]   바르고 확실한 정도

2 [ ]래   사물이나 일이 생겨남.

3 감[ ]   일 따위를 맡아서 능히 해냄.

4 [ ]바[ ]   원래의 모양이나 형태를 바꿈.

5 [ ]정   오염된 것이 저절로 깨끗해짐.

6 [ ]관성   처음부터 끝까지 한결같은 성질

7 모[ ]   말이나 태도 등이 분명하지 않음.

8 [ ]박하다   겁을 주며 남에게 억지로 어떤 일을 하도록 하다.

9 참[ ]하다   관계없는 일이나 말에 끼어들어 이래라저래라 하다.

10 [ ]론   긴 글이나 말에서 본론으로 이끌어 가는 맨 앞의 부분

정답 1. 정, 성   2. 유   3. 당   4. 탈, 꿈   5. 자   6. 일   7. 호   8. 협   9. 견   10. 서

11 ☐장   소금에 절여 저장함.

12 ☐양   지구를 덮고 있는 흙

13 ☐산☐   어떤 지역의 특별한 산물

14 어☐류   물고기와 조개류를 함께 이르는 말

15 ☐균   여러 수의 합을 그 여럿으로 나눈 결과

16 ☐개☐   입체도형을 펼쳐서 평면에 나타낸 그림

17 ☐독   몸 안에 들어간 독성 물질의 작용을 없앰.

18 ☐뿔   밑면이 원이고, 옆면이 곡면인 뿔 모양의 입체도형

19 ☐기☐   위아래의 면이 서로 평행이고 합동인 원으로 된 입체도형

20 ☐수☐산   아름다운 산천이라는 뜻으로, 우리나라의 산천을 비유하는 말

정답   11. 염   12. 토   13. 특, 물   14. 패   15. 평   16. 전, 도   17. 해   18. 원   19. 원, 둥   20. 금, 강

5장 속담을 활용해요

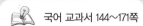

1 속담

'속담'은 옛부터 전해 오는 말로, 대개 문장의 형태로 표현되고 삶의 교훈을 전달하는 내용을 담고 있어요. 비유적으로 깊은 뜻을 담고 있는 특징을 가지고 있어요.

✏️ 다음은 속담 대한 설명입니다. 빈칸에 알맞은 낱말을 [보기]에서 찾아 써 보세요.

보기

| 격언 | 민간 | 해학 | 효과 |

속담은 옛날부터 ❶에 전해 오는 쉬운 ❷이나 잠언으로 우리 민족의 지혜와 ❸, 생활 방식과 교훈이 담겨 있는 말입니다. 속담을 익히고 사용하면 자신의 생각을 쉽고 ❹적으로 전달할 수 있습니다.

● 잠언: 가르쳐서 훈계하는 말

❶ 일반 백성들 사이 ⇨ [　　]

❷ 인생에 대한 교훈이나 경계를 짧게 표현한 글 ⇨ [　　]

❸ 익살스럽고도 품위가 있는 말이나 행동 ⇨ [　　]

❹ 어떤 일을 해서 생기는 좋은 결과 ⇨ [　　]

2 협동과 관련한 속담

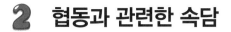 다음은 협력의 중요성에 관한 속담들입니다. 빈칸에 알맞은 낱말을 써 보세요.

1 | ㅇ | ㅅ | ㅃ |이 소리 날까.
한쪽 손바닥

2 | ㅂ | ㅈ | ㅈ |도 맞들면 낫다.
흰 종이 낱장

3 종이도 네 | ㄱ |를 들어야 바르다.
네모진 물건의 모서리

4 두 손뼉이 맞아야 | ㅅ | ㄹ |가 난다.

5 열의 한 술 밥이 한 그릇 | ㅍ | 푼 | 하 | 다 |.
모자람이 없이 넉넉하다.

6 | ㄱ | ㄷ | ㅈ | ㅇ |셋이 모이면 제갈량보다 낫다.
구두를 만드는 일을 직업으로 하는 사람

7 세 | ㅅ | ㄹ |만 우겨 대면 없는 호랑이도 만들어 낼 수 있다.

3 동물과 관련한 속담

✏️ 빈칸에 들어갈 알맞은 동물을 찾아 연결하고, 속담을 완성해 보세요.

① 가재는 [ ] 편
→ 모양이나 형편이 비슷한 것끼리 사정을 보아주기 쉽다는 말

② [ ] 쫓던 개 지붕 쳐다보듯
→ 애써 하던 일이 실패로 돌아가 어찌할 도리가 없다는 말

③ [ ]가 제 방귀에 놀란다.
→ 잘못한 일이 염려되어 사소한 것에도 놀란다는 말

④ [ ]도 나무에서 떨어진다.
→ 아무리 익숙하고 잘하는 사람도 실수할 수 있다는 말

⑤ 닭 잡아먹고 [ ] 발 내놓기
→ 잘못을 저지르고 엉뚱하게 속여 넘기려는 상황을 이르는 말

⑥ [ ] 잃고 외양간 고친다.
→ 일이 잘못되어 손을 쓰기에는 이미 늦은 상황을 이르는 말

7

고기를 먹었나.

→ 잊어버리기를 잘하는 사람을 놀리는 말

8

개천에서 □ 난다.

→ 변변치 못한 환경에서 훌륭한 인물이 나는 경우를 이르는 말

9

□도 제 말 하면 온다.

→ 자리에 없는 사람 이야기를 하는데 그 사람이 나타나는 경우를 이르는 말

10

□ 꼬리 잡고 순대 달란다.

→ 무슨 일이든 단계와 순서가 있는데 성급하게 요구를 한다는 말

11

고양이 □ 생각

→ 속으로는 해칠 마음을 가지고, 겉으로는 생각해 주는 척 한다는 말

12

서당 □ 삼 년에 풍월을 읊는다.

→ 한 가지를 오래 하게 되면 잘하게 된다는 말

4 말과 관련한 속담

✏️ 빈칸에 알맞은 낱말을 [보기]에서 찾아 넣어 속담을 완성해 보세요.

보기

빚   떡   발   말   씨   입   해

1 말이 [　] 가 된다.

→ 말하던 것이 마침내 사실대로 되었을 때를 이르는 말

2 [　] 없는 말이 천 리 간다.

→ 뱉은 말은 순식간에 퍼진다는 뜻으로 말을 삼가야 한다는 말

3 말이 많으면 쓸 [　] 이 적다.

→ 하지 않아도 될 말을 늘어놓으면 막상 쓸 말이 적어진다는 뜻으로 말을 삼가야 함을 이름.

4 아 해 다르고 어 [　] 다르다.

→ 같은 말이라도 어떻게 하느냐에 따라 달리 들릴 수 있다는 말

5 말 한마디에 천 냥 [　] 도 갚는다.

→ 말만 잘하면 어려운 일도 해결할 수 있다는 말

6 [　] 은 비뚤어져도 말은 바로 해라.

→ 상황이 어떠하든지 말은 언제나 바르게 해야 함을 이르는 말

7 부모 말을 들으면 자다가도 [　] 이 생긴다.

→ 부모 말을 잘 듣고 순종하면 좋은 일이 생긴다는 말

✏️ 주어진 뜻에 가장 알맞은 속담을 찾아 그 기호를 써 보세요.

㉠ 웃느라 한 말에 초상난다.　　　　㉡ 말이 말을 만든다.

㉢ 말 많은 집은 장맛도 쓰다.

㉣ 살은 쏘고 주워도 말은 하고 못 줍는다.　　㉤ 가루는 칠수록 고와지고 말은 할수록 거칠어진다.

㉥ 정들었다고 정말 말라.

① 농담으로 한 말이 깊은 상처를 줄 수 있다.　　　　　　　（　　　）

② 집안에 잔말이 많으면 살림이나 모든 일이 잘 안 된다.　　（　　　）

③ 말은 하면 할수록 오해가 생기고 싸움으로 번질 수 있다.　（　　　）

④ 말은 하고 나면 다시 바꿀 수 없으므로 신중하게 말해야 한다.　（　　　）

⑤ 가깝고 다정한 사이라도 해서는 안 될 말은 나누지 말아야 한다.　（　　　）

⑥ 말은 사람의 입을 거치는 동안 그 내용이 과장되고 변할 수 있다.　（　　　）

14일

월

일

5 뜻이 비슷한 속담

✏️ 빈칸에 알맞은 낱말을 넣어 상황에 어울리는 속담을 완성해 보세요.

일 년 전 현수는 10만 원에 휴대 전화를 구입했다. 어느 날 휴대 전화가 고장 나서 수리점을 찾았더니, 기사님께서 수리비가 15만 원은 나올 거라고 말해 주셨다.

1 바늘보다 시 이 굵다.

2 얼굴보다 ㅋ 가 더 크다.

3 배보다 ㅂ 꼬 이 더 크다.

축구부에 속해 있는 동훈이는 일 년 넘게 후보 신세를 면치 못했지만 연습을 게을리하지 않았다. 오랫동안 그 모습을 지켜본 감독님이 어느 날 주전 선수로 동훈이를 발탁했다.

4 쥐구멍에도 벼 들 날 있다.

5 ㅇ ㄷ 에도 햇빛 드는 날이 있다.
볕이 잘 들지 않는 그늘진 곳

6 개똥밭에 ㅇ ㅅ 내릴 때가 있다.
공기 중의 수증기가 뭉치어 생긴 물방울

7 마 루 구 ㅁ 에도 볕 들 날이 있다.
마룻바닥에 난 구멍

72

시험을 앞두고 윤선이는 열심히 시험공부를 한 반면, 상철이는 컴퓨터 게임을 하는 데 시간을 모두 써 버렸다. 시험 결과 윤선이는 좋은 성적을 받았지만, 상철이는 시험을 망쳤다.

⑧ 가시나무에 ☐☐ 가 난다.

⑨ 콩 심은 데 ☐ 나고 팥 심은 데 ☐ 난다.

⑩ 오이 덩굴에 ☐☐ 열리고 가지 나무에 ☐☐ 열린다.

민지와 혜지는 어렸을 때부터 기쁜 일이든 어려운 일이든 항상 함께해 온 쌍둥이 자매이다. 두 자매는 아직도 어디를 가든 꼭 붙어 다닌다.

⑪ ☐요 가는 데 구름 간다.
상상의 동물 중 하나

⑫ 구름 갈 제 ☐ㅂ 가 간다.

⑬ 범 가는 데 ☐ㅂ ☐라 간다.
공기의 움직임

⑭ ☐ㅂ ☐ㄴ 가는 데 실 간다.

73

6 속담 퀴즈

✏️ 빈칸에 알맞은 낱말을 [보기]에서 한 쌍씩 찾아 써 보세요.

보기

| 떡 – 제사 | 사람 – 범 | 사또 – 나팔 |
| 하나 – 열 | 사공 – 배 | 독장수 – 독 |

1 ☐ 덕분에 ☐ 분다.

→ 남의 덕에 당치도 않은 행세를 하거나 대접을 받게 되었다는 말

2 ☐ 본 김에 ☐ 지낸다.

→ 기회가 좋을 때 일을 치른다는 말

3 ☐ 를 보고 ☐ 을 안다.

→ 일부만 보고 전체를 미루어 안다는 말

4 ☐ 구구는 ☐ 만 깨뜨린다.

→ 실현성이 없는 허황된 계산은 오히려 손해만 가져온다는 말

5 ☐ 이 많으면 ☐ 가 산으로 간다.

→ 여러 사람이 자기주장만 내세우면 일이 제대로 되기 어렵다는 말

6 ☐ 은 죽으면 이름을 남기고 ☐ 은 죽으면 가죽을 남긴다.

→ 인생에서 가장 중요한 것은 명예를 남기는 일이라는 말

보기

길-걸음	발-오줌	세-여든
바늘-소	무쇠-바늘	메뚜기-유월

7 언 [ ] 에 [ ] 누기

→ 어떤 일을 대강 둘러맞추듯 처리하면 효과가 오래 가지 못한다는 말

8 천 리 [ ] 도 한 [ ] 부터

→ 무슨 일이나 그 일의 시작이 중요하다는 말

9 [ ] 도 갈면 [ ] 된다.

→ 꾸준히 노력하면 아무리 어려운 일도 이룰 수 있다는 말

10 [ ] 도 [ ] 이 한철이다.

→ 제 세상을 만난 듯이 한창 날뛰지만 한창때는 짧다는 말

11 [ ] 도둑이 [ ] 도둑 된다.

→ 아무리 작은 것이라도 나쁜 버릇은 길들이지 말라는 말

12 [ ] 살 적 버릇이 [ ] 까지 간다.

→ 어릴 때부터 나쁜 버릇이 들지 않도록 잘 가르쳐야 한다는 말

7 타교과 어휘 사회

🖉 빈칸에 알맞은 낱말을 써서 문장을 완성해 보세요.

① 분노한 시민들은 시 ㅁ 구 을 만들어 군인들에게 대항했다.
시민들이 스스로 조직한 군대

② 로마 교황의 ㅅ 거 소식에 전 세계의 사람들이 슬퍼하였다.
죽어서 세상을 떠남.

③ 우리나라는 1987년에 대통령 선거 제도를 지 서 제 로 바꾸었다.
국민이 직접 대표를 뽑는 선거 제도

④ 국가에 비상사태가 발생할 때에 대통령은 계 어 을 선포할 수 있다.
일정한 지역의 행정권과 사법권의 전부 또는
일부를 군이 맡아 다스리는 일

⑤ 모든 국민은 인간으로서의 조 어 과 가치를 인정받을 권리를 가지고 있다.
인물이나 지위 따위가 감히 범할 수 없을 정도로 높고 엄숙함.

⑥ 교육부는 고 처 호 를 통해 과거보다 개선된 입시 정책을 내놓을 계획이다.
정책 결정 전에 관련된 사람들과 전문가의 의견을 듣는 공개회의

⑦ 미국은 국민을 대표하는 선거인단이 대통령을 뽑는 가 서 제 를 채택하고
있다.
일정 수의 선거인단을 구성해 대표자를 뽑게
하는 선거 제도

76

✏️ **빈칸에 알맞은 낱말을 [보기]에서 찾아 써 보세요.**

보기

| 관용 | 사태 | 정변 | 추모 | 혁명 | 민주화 | 자치제 |

① 정치인의 죽음을 [   ] 하는 사람들이 거리를 가득 메웠다.
죽은 사람을 그리며 생각함.

② 프랑스 시민 [   ] 은 사회, 정치, 문화의 구조를 바꿔 놓았다.
한 사회의 권력과 조직을 뒤엎고 새로운 제도와 권력 조직을 만드는 일

③ 지진 [   ] 가 발생했을 때에는 재빨리 관련 기관에 알려야 해요.
벌어진 일의 상태

④ 갑작스럽게 군인들에 의해 [   ] 이 일어나 나라가 혼란스러웠다.
반란, 쿠데타처럼 권력 관계가 갑자기 바뀌는 것

⑤ 권력이 중앙으로 집중되면 지방 [   ] 가 제힘을 발휘하기 힘들다.
공공 단체나 집단이 스스로 일을 결정하여 행정을 펴는 제도

⑥ 전국에서 일어난 [   ] 운동은 국민이 주인이라는 생각을 갖게 하였다.
민주주의 원칙에 맞게 되는 것

⑦ 잘못을 인정하고 사과하는 사람에게는 [   ] 을 베풀어 용서할 수 있어야 한다.
너그럽게 용서하고 받아들이는 것

다음 빈칸에 낱말을 넣어 속담을 완성하세요.

쥐구멍

속 ☐☐☐ 에도 볕 들 날 있다.

몹시 고생을 하는 삶도 좋은 운수가 터질 날이 있다는 말

지붕

속 닭 쫓던 개 ☐☐ 쳐다보듯

애써 하던 일이 실패로 돌아가 어찌할 도리가 없다는 말

방귀

속 토끼가 제 ☐☐ 에 놀란다.

잘못한 일이 염려되어 사소한 것에도 놀란다는 말

꼬리

속 돼지 ☐☐ 잡고 순대 달란다.

무슨 일이든 단계와 순서가 있는데 성급하게 요구한다는 말

서당

속 ☐☐ 개 삼 년에 풍월을 읊는다.

한 가지를 오래 하게 되면 잘하게 된다는 말

제사

속 떡 본 김에 ☐☐ 지낸다.

기회가 좋을 때 일을 치른다는 말

발

속 ☐ 없는 말이 천 리 간다.

뱉은 말은 순식간에 퍼진다는 뜻으로 말을 삼가야 한다는 말

초상

속 웃느라 한 말에 ☐☐ 난다.

농담으로 한 말이 깊은 상처를 줄 수 있다는 말

정말

㉑ 정들었다고 ▢▢ 말라.

가깝고 다정한 사이라도 해서는 안 될 말은 나누지 말아야 한다는 말

부모

㉑ ▢▢ 말을 들으면 자다가도 떡이 생긴다.

부모 말을 잘 듣고 순종하면 좋은 일이 생긴다는 말

바늘

㉑ ▢▢ 가는 데 실 간다.

사람 간의 긴밀한 관계를 비유적으로 이르는 말

나팔

㉑ 사또 덕분에 ▢▢ 분다.

남의 덕에 당치도 않은 행세를 하거나 대접을 받게 되었다는 말

무쇠

㉑ ▢▢도 갈면 바늘 된다.

꾸준히 노력하면 아무리 어려운 일도 이룰 수 있다는 말

사공

㉑ ▢▢이 많으면 배가 산으로 간다.

여러 사람이 자기주장만 내세우면 일이 제대로 되기 어렵다는 말

메뚜기

㉑ ▢▢▢도 유월이 한철이다.

제 세상을 만난 듯이 한창 날뛰지만 한창때는 짧다는 말

고양이

㉑ ▢▢▢ 쥐 생각

속으로는 해칠 마음을 가지고, 겉으로는 생각해 주는 척한다는 말

6장 내용을 추론해요

1 연극

이야기를 연극으로 만들려면 인물의 대사나 행동 따위를 적은 글인 '극본'이 있어야 해요.

다음 극본을 참고하여 주어진 설명에 해당하는 낱말을 [보기]에서 찾아 써 보세요.

현명한 친구

❶때: 옛날 어느 날

곳: 어느 시골 마을

나오는 사람: 농부, 친구

 막이 오르면 농촌의 한 농가가 보인다. 한 사람이 대문을 두드린다.

농부: ❷(집 안에 앉으며 근심스런 목소리로) ❸상의 좀 하려고 왔다네.

친구: (의외라는 듯) 웬일로 걱정거리가 생겼나?

농부: 밤새 고민했지만 어찌해야 할지 몰라서…….

친구: 어서 말해 보게.

보기

| 대사 | 해설 | 지문 |

❶ 배경과 무대 설명, 나오는 사람, 무대 바뀜 등을 설명하는 부분 ⇨ [　　　]

❷ 괄호 안에 인물의 행동이나 표정 등을 나타내는 부분 ⇨ [　　　]

❸ 인물이 직접 말하는 부분 ⇨ [　　　]

80

2 주제별 어휘 한옥

한옥은 우리나라의 전통 주택을 이르는 말이에요. 한옥의 가장 큰 특징은 온돌방과 마루가 균형 있게 결합된 구조를 갖추고 있는 점이에요.

✎ 주어진 뜻에 알맞은 낱말을 그림에서 찾아 써 보세요.

① 기둥 밑에 기초로 받쳐 놓은 돌 ⇨

② 한옥에서 방과 방 사이의 큰 마루 ⇨

③ 벽의 바깥쪽으로 내민 지붕의 부분

④ 불을 때거나 더운물, 전기 등으로 바닥을 덥게 한 방

⑤ 집의 벽, 천장 등에 여러 색깔로 그림이나 무늬를 그린 그림 ⇨

3 자주 쓰는 말 입이 벌어지다

🖊 빈칸에 알맞은 말을 [보기]에서 찾아 써 보세요.

기를 쓰다	혀를 차다	길이 열리다
시치미를 떼다	입이 벌어지다	어깨를 나란히 하다

1 새치기를 하는 사람을 보고 _____.
마음이 언짢거나 유감의 뜻을 나타내다.

2 간식을 먹고도 안 먹은 척 _____.
자기가 하고도 아니한 척 모르는 체하다.

3 보고서의 내용이 아주 정확해서 _____.
매우 놀라거나 좋아하다.

4 어미 닭이 병아리를 구하려고 _____.
있는 힘을 다하다.

5 다른 나라로 상품을 수출할 수 있는 _____.
어떤 일을 하게 되거나 전망이 보이다.

6 우리나라의 기업이 국제 기업들과 _____.
서로 비슷한 지위나 힘을 가지다.

82

4 바꿔 쓸 수 있는 말 연회

✏️ 밑줄 친 낱말과 바꿔 쓸 수 있는 낱말을 [보기]에서 찾아 써 보세요.

보기

| 짬 | 거처 | 단서 | 보완 | 연회 | 추측 | 침략 |

① 그 집은 당분간 우리가 머물 숙소로 적당하다.
집을 떠난 사람이 임시로 묵는 곳
⇨ [　　　]

② 우리 축구팀은 수비수를 좀 더 보충하면 좋겠다.
부족한 것을 보태어 채움.
⇨ [　　　]

③ 전화 목소리로는 그의 나이를 짐작할 수 없었다.
사정이나 형편 등을 어림잡아 헤아림.
⇨ [　　　]

④ 어제는 너무 바빠서 잠시도 쉴 겨를이 없었다.
일하는 도중에 쉴 수 있는 시간적인 여유
⇨ [　　　]

⑤ 경찰은 그 사건의 실마리를 찾으려고 무척 고생했다.
일이나 사건을 풀어 나갈 수 있는 첫머리
⇨ [　　　]

⑥ 적의 침입이 잦은 해안 지방의 백성들은 고난이 심했다.
불법으로 쳐들어가거나 쳐들어옴.
⇨ [　　　]

⑦ 임금은 전쟁을 마치고 돌아온 병사들을 위해 잔치를 베풀었다. ⇨ [　　　]

⑤ 뜻이 여러 가지인 말 좋다

하나의 낱말이 여러 가지 의미를 가지고 있는 경우가 있어요. 이런 낱말을 '다의어'라고 해요.

✏️ 밑줄 친 낱말에 알맞은 뜻을 찾아 그 기호를 써 보세요.

좋다	㉠ 날씨가 맑거나 고르다.
	㉡ 성품이나 인격 등이 원만하거나 선하다.
	㉢ 신체적 조건이나 건강 상태가 보통 이상 수준이다.
	㉣ 성질이나 내용 등이 보통 이상 수준이어서 만족할 만하다.

1 나의 건강은 지금 아주 좋다.　　　　　　　　　　　　　　　(　　)

2 햇볕이 나서 오늘 날씨가 좋다.　　　　　　　　　　　　　　(　　)

3 오늘 본 영화가 기대 이상으로 좋다.　　　　　　　　　　　　(　　)

4 영수가 성격이 급하기는 하지만 마음씨가 매우 좋다.　　　　　(　　)

빠지다	㉠ 어느 정도 이익이 남다.
	㉡ 박힌 물건이 제자리에서 나오다.
	㉢ 원래 있어야 할 것에서 모자라다.

5 목에 걸린 가시가 빠지다.　　　　　　　　　　　　　　　　(　　)

6 물건을 도매로 사서 팔았더니 하루 품삯 정도가 빠졌다.　　　(　　)

7 회비로 걷은 돈이 이상하게 십만 원에서 천 원이 빠진다.　　　(　　)

| 쌓다 | ㉠ 물건을 차곡차곡 포개어 구조물을 이루다. |
| | ㉡ 여러 개의 물건을 겹겹이 포개어 얹어 놓다. |

8 겨울에 먹을 양식을 창고에 <u>쌓았다</u>. ( )

9 지난해 홍수 피해 이후로 축대를 <u>쌓았다</u>. ( )

깊다	㉠ 생각이 신중하다.
	㉡ 수준이 높거나 정도가 심하다.
	㉢ 겉에서 속까지의 거리가 멀다.

10 철수는 나이에 어울리지 않게 속이 <u>깊다</u>. ( )

11 이곳 바다는 배가 지나갈 수 있을 정도로 <u>깊다</u>. ( )

12 어머니는 미술을 전공하셔서 그림에 조예가 <u>깊다</u>. ( )

돌다	㉠ 기능이나 체제가 제대로 작용하다.
	㉡ 정신을 차릴 수 없도록 아찔해지다.
	㉢ 물체가 일정한 점 또는 선을 중심으로 원을 그리면서 움직이다.

13 기계가 무리 없이 잘 <u>돌고</u> 있다. ( )

14 감기약을 먹었더니 머리가 핑 <u>돈다</u>. ( )

15 아이들이 팽그르르 <u>도는</u> 팽이를 보며 즐거워한다. ( )

6 형태는 같은데 뜻이 다른 말 관리

> 원래는 다른 말이지만 형태가 같은 낱말이 있어요. 이런 낱말은 형태는 같은데 뜻이 다르다고 하여 동형어라고 하지요.

✏️ 빈칸에 공통으로 들어갈 낱말을 써 보세요.

1 ㄱ ㄹ

① 건물 □□가 제대로 되지 않아 낡아 보인다.
시설이나 물건의 유지 따위의 일을 맡아 함.

② 조선 시대에는 과거 제도를 통해 □□를 선발하였다.
공무원과 같이 나라 일을 하는 사람

2 ㅊ ㄷ

① 영화 시사회에 □□를 받아 구경 가기로 하였다.
어떤 모임에 참가해 줄 것을 청함.

② 그는 학교 설립에 기여한 공로가 커 □□ 교장으로 선출되었다.
자리나 지위에서 첫 번째에 해당하는 차례

3 ㄱ ㅅ

① 우리 가족은 종종 연극 □□을 즐긴다.
주로 예술 작품을 이해하여 즐기고 평가함.

② 돌아가신 할머니에 대한 □□으로 침울해졌다.
슬프거나 쓸쓸하게 느끼는 마음

③ 여행지에서 얻은 □□을 쓰는 것이 기행문이다.
마음속에서 일어나는 느낌이나 생각

86

4 ㅇ ㅅ

① 그는 □□이 험악하여 사람들이 말을 잘 걸지 않는다.
사람 얼굴의 생김새

② 고흐의 미술 작품은 대중들에게 강렬한 □□을 남겼다.
어떤 대상에 대하여 마음속에 새겨지는 느낌

5 ㄱ ㄱ

① 새로 나온 게임기를 할인된 □□으로 샀다.
물건이 지니고 있는 가치를 돈으로 나타낸 것

② 태권도 경기에서 우리나라 선수가 정확한 □□으로 점수를 땄다.
손이나 주먹 등으로 때리거나 침.

6 ㅅ ㄹ

① 창수는 □□에 밝아서 계산이 틀리는 일이 없다.
수학의 이론이나 이치

② 오래된 자동차가 고장이 자주 나서 □□를 맡겼다.
고장 나거나 허름한 데를 손보아 고침.

7 ㅁ ㄹ

① 전쟁이 나자, 두 나라는 □□으로 맞서 싸웠다.
군사상의 힘

② 실패를 거듭하다 보면 삶에 대한 □□을 느끼기 쉽다.
힘이 없음.

8 ㅇ ㄱ

① 아버지는 실의에 빠진 나에게 □□를 북돋아 주셨다.
씩씩하고 굳센 기운

② 남은 음식은 □□에 잘 담아 냉장고에 보관해야 한다.
물건을 담는 그릇

🕯 낱말 퀴즈

✏️ 빈칸에 알맞은 낱말을 써서 문장을 완성해 보세요.

1 많은 사람들이 일제 | ㄱ | ㅈ | ㄱ |에 징용으로 끌려갔다.
남의 물건, 영토 등을 강제로 차지하는 시기

2 그 사람은 역사의 | ㅅ | ㅇ | 돌 | 이 | 속에 휩쓸려 처형당했다.
힘이나 생각 등이 서로 뒤엉켜 요란스러운 상태

3 임진왜란 당시 조선은 중국에 | ㅅ | ㅅ |을 보내 도움을 청했다.
국가의 명령을 받고 외국에 파견되는 신하

4 확실한 증거 없이 | ㅊ | ㄹ |에 의해서 결론을 내려서는 위험하다.
미루어 생각하여 논함.

5 취미 생활을 하는 것은 스트레스를 | ㅎ | ㅅ |하는 데 도움이 될 수 있다.
어려운 일이나 문제가 되는 상태를 해결하여 없앰.

6 우리는 상품의 판매 현황을 조사하여 | ㅂ | ㄱ | ㅅ |를 작성해야 해서 바쁘다.
보고하는 글이나 문서

7 선생님은 우리가 만드는 신문의 기획과 | ㅍ | ㅈ |에 조언을 아끼지 않으셨다.
글 재료 등을 모아 신문, 잡지 등을 만드는 일

88

⑧ 축석루라는 옛 [ㄴ] [각] 에 올라 사방을 둘러보았다.

사방을 바라볼 수 있도록 문과 벽 없이 높이 지은 집

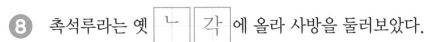

⑨ 행사를 치르던 숭정전과 영조의 [ㅇ] [ㅈ] 을 모신 태령전이 있다.

임금의 얼굴 그림이나 사진

⑩ 임금은 가장 지혜로운 [ㄴ] [인] 을 뽑아 왕자를 보살피게 하였다.

조선 시대에 궁궐 안에서 왕과 왕비를 모시는 사람들

⑪ 오늘이 바로 새로운 왕의 [ㅈ] [ㅇ] [식] 이 열리는 경사스러운 날이다.

임금 자리에 오르는 것을 알리기 위해 치르는 의식

⑫ 이번 수업은 역사에 대한 [ㅂ] [ㄱ] [지] [식] 없이는 이해하기 힘들다.

어떤 일을 할 때 이미 머릿속에 있거나 기본적으로 필요한 지식

⑬ 날씨가 추워지면서 호수 [가] [ㅈ] [ㅈ] [ㄹ] 에는 살얼음이 끼기 시작했다.

둘레나 끝에 해당되는 부분

⑭ 수원 화성에는 정조가 사도 세자의 묘를 찾을 때 머물던 [ㅎ] [ㄱ] 이 있다.

임금이 나들이 때 머물던 궁궐

89

타교과 어휘 과학

🖉 빈칸에 알맞은 낱말을 [보기]에서 찾아 써 보세요.

보기

해충   기공   양분   광합성   세포막   세포벽   세포핵

1 식물은 [   ]을 통해 녹말을 만들어 낸다.
식물이 빛을 이용하여 영양을 스스로 만드는 과정

2 나무는 주로 토양으로부터 [   ]을 공급받는다.
영양이 되는 성분

3 [   ]에서 잎에 있는 수분이 기체 상태로 내보내진다.
잎 뒷면의 공기구멍

4 [   ]은 동물 세포에는 없으나 식물 세포에는 존재한다.
세포를 외부로부터 보호하고 세포의 모양을 유지하도록 하는 벽

5 껍질은 [   ]의 침입을 막고 추위와 더위로부터 식물을 보호한다.
인간의 생활에 직접 또는 간접으로 해를 주는 곤충

6 [   ]은 세포 내의 물질들을 보호하고 세포 간 물질 이동을 조절한다.
세포와 세포 외부의 경계를 짓는 막

7 세포의 중심에 존재하는 [   ]의 수는 하나로, 세포의 기능을 조절한다.
유전에 관계하는 생물 세포의 중심에 있는 알갱이

✏️ **밑줄 친 낱말의 알맞은 뜻을 찾아 번호를 써 보세요.**

1 깡통에 <u>압력</u>을 가하면 쉽게 찌그러진다. ( )

① 누르거나 미는 힘
② 당기거나 늘리는 힘

2 공기를 불어 넣을수록 풍선은 점점 <u>팽창</u>한다. ( )

① 부풀어서 부피가 커짐.
② 줄어들거나 오그라드는 것

3 소금물의 <u>농도</u>가 진할수록 달걀은 더 잘 뜬다. ( )

① 용액 따위가 차지고 끈끈한 정도
② 용액 따위의 진함과 묽음의 정도

4 공기는 여러 가지 기체가 섞여 있는 <u>혼합물</u>이다. ( )

① 여러 가지가 각각의 성질을 지니면서 뒤섞인 물질
② 여러 가지가 결합하여 새로운 성질을 지니게 된 물질

5 <u>증산 작용</u>은 식물이 수분의 균형을 유지하는 데 영향을 미친다. ( )

① 잎이 스스로 수분을 만들어 내는 작용
② 잎의 뒷면에 있는 구멍을 통해 수분이 기체로 **빠져나가는** 작용

6 많은 농가들이 수확을 늘리기 위해서 농작물의 <u>품종 개량</u>에 힘쓰고 있다. ( )

① 생물의 특성을 고쳐 더 좋게 만드는 것
② 생물의 암수를 인공적으로 수정시켜 다음 세대를 얻는 것

다음 빈칸에 글자를 넣어 낱말을 완성하세요.

1 ☐ 력   군사상의 힘

2 ☐ 리   공무원과 같이 나라 일을 하는 사람

3 대 ☐   한옥에서 방과 방 사이의 큰 마루

4 ☐ 마   벽의 바깥쪽으로 내민 지붕의 부분

5 짐 ☐   사정이나 형편 등을 어림잡아 헤아림.

6 ☐ 를   일하는 도중에 쉴 수 있는 시간적 여유

7 인 ☐   어떤 대상에 대하여 마음속에 새겨지는 느낌

8 강 ☐ 기   남의 물건, 영토 등을 강제로 차지하는 시기

9 혼 ☐ 물   여러 가지가 각각의 성질을 지니면서 뒤섞인 물질

10 증 ☐ 작용   잎의 뒷면에 있는 구멍을 통해 수분이 기체로 빠져나가는 작용

정답   1. 무   2. 관   3. 청   4. 처   5. 작   6. 겨   7. 상   8. 점   9. 합   10. 산

6장

¹¹ 어 ☐   임금의 얼굴 그림이나 사진

¹² 가 ☐ 자리   둘레나 끝에 해당되는 부분

¹³ ☐ 격   손이나 주먹으로 때리거나 침.

¹⁴ 감 ☐   슬프거나 쓸쓸하게 느끼는 마음

¹⁵ ☐ 입   불법으로 쳐들어가거나 쳐들어옴.

¹⁶ ☐ 신   국가의 명령을 받고 외국에 파견되는 신하

¹⁷ 해 ☐   어려운 일이나 문제가 되는 상태를 해결하여 없앰.

¹⁸ 세포 ☐   유전에 관계하는 생물 세포의 중심에 있는 알갱이

¹⁹ ☐ 위식   임금 자리에 오르는 것을 알리기 위해 치르는 의식

²⁰ ☐ 합성   식물이 빛을 이용하여 양분을 스스로 만드는 과정

정답   11. 진   12. 장   13. 가   14. 상   15. 침   16. 사   17. 소   18. 핵   19. 즉   20. 광

우리말을 가꾸어요

국어 교과서 236~257쪽

1 언어생활

> 우리가 일상생활에서 사용하는 언어에는 올바르지 않은 표현들이 많아요. 자신의 언어생활을 점검하고 올바르지 않은 비속어나 신조어, 불필요한 외국어 등은 쓰지 않아야 해요.

✏️ 주어진 낱말에 알맞은 뜻을 찾아 연결해 보세요.

① 고유어 •   • 새로 생긴 말

② 비속어 •   • 다른 나라의 말

③ 신조어 •   • 격이 낮고 속된 말

④ 외국어 •   • 한 민족이 본래부터 가지고 있는 말

⑤ 외래어 •   • 사람이나 사물을 높여서 이르는 말

⑥ 존칭어 •   • 외국에서 들어온 말로 국어처럼 쓰이는 말

2 자주 쓰는 말 당근과 채찍

둘 이상의 낱말이 어울려 원래의 뜻과는 다른 새로운 뜻으로 굳어져서 쓰이는 표현을 '관용 표현'이라고 해요.

밑줄 친 말의 알맞은 뜻을 찾아 그 기호를 써 보세요.

> ㉠ 사람을 다룰 때 필요한 상과 벌 등을 이름.
> ㉡ 어떤 일에 대해 두 가지 면이 존재하는 것을 이름.
> ㉢ 사회 경험이 적어서 자기 잘난 줄만 아는 사람을 이름.
> ㉣ 중요한 문제지만 쉽게 다루기 어려운 문제를 비유적으로 이름.
> ㉤ 호기심으로 인해 생긴 잘못된 일이나 해서는 안 될 일을 이름.

❶ 시골 학교에서 1등을 했다고 뻐기다니 우물 안 개구리로군.

❷ 주거 정책이 발표되면서 주택 문제가 뜨거운 감자로 떠올랐다.

❸ 선생님은 당근과 채찍을 적절히 활용하여 학생들을 교육하였다.

❹ 세계화는 동전의 양면 같아 긍정적인 면과 부정적인 면이 있다.

❺ 생명 복제의 연구를 허용하는 것은 판도라의 상자를 여는 것과 같다.

3 주제별 어휘 1 고유어

고유어는 한 민족이 본래부터 가지고 있는 말을 말해요. 순수한 우리말이라는 뜻에서 '순우리말'이라고도 하지요.

🖊 빈칸에 알맞은 낱말을 [보기]에서 찾아 써 보세요.

보기

꼼수   멍에   곰방대   나들목   길라잡이   모름지기   미주알고주알

① 노인은 [   ]를 털며 이야기를 시작했다.
담배를 피우는 데 쓰는 짧은 담뱃대

② 고속 도로 [   ] 부근에서 정체가 심하다.
나가고 들어가는 길목

③ 엄마는 내 친구들에 대해서 [   ] 캐물었다.
아주 사소한 일까지 속속들이

④ 우리는 [   ] 없이 어둠 속을 뚫고 길을 떠났다.
길을 안내해 주는 사람이나 사물

⑤ 그는 실력으로 안 될 것 같으니까 [   ]를 썼다.
쩨쩨한 수단이나 방법

⑥ 젊은 청년들은 [   ] 모든 일에 자신감이 넘쳐야 한다.
이치에 따라 마땅히. 또는 반드시

⑦ 옛날에는 소에게 [   ]를 얹고 쟁기를 매달아서 밭을 갈았다.
수레나 쟁기를 끌기 위해 소의 목에 얹는 굽은 막대

4 주제별 어휘 2 순화어

말을 사용할 때에는 불필요한 표현은 줄이고 올바른 말을 사용해야 해요. '순화어'는 지나치게 어려운 말이나 규범에 벗어난 말, 외래어 등을 규범에 맞게 바꾼 낱말을 말해요.

✏️ **밑줄 친 낱말을 순화해서 알맞은 낱말로 바꿔 써 보세요.**

1 기분 전환을 위해 <u>레크리에이션</u> 시간을 갖자.
함께 모여 놀거나 운동 등을 즐기는 일
⇨ | ㅇ | 락 |

2 날이 더워서 <u>재킷</u>을 벗어 팔에 걸치고 다녔다.
⇨ | 우 | 오 |

3 고민거리가 많은 청소년은 전문 <u>카운슬링</u> 선생님이 필요하다.
문제를 해결하기 위해 의논함.
⇨ | 사 | 다 |

4 우리는 편리함을 추구하는 젊은 신혼층을 <u>타깃(으)</u>로 삼았다.
목적을 이루기 위한 대상
⇨ | 모 | 표 |

5 도서관에서 <u>미스터리</u> 소설이 재미있어 시간 가는 줄 몰랐다.
알고 있는 것을 바탕으로 미루어 생각함.
⇨ | 추 | ㄹ |

6 학교 정문에 걸린 <u>플래카드</u>에는 입학 축하 문구가 쓰여 있었다.
선전문, 구호 등을 적어 걸어 놓은 막
⇨ | 혀 | ㅅ | 마 |

7 정책에 대한 여론을 알아보기 위해 <u>앙케트</u>를 실시하였다.
통계를 얻기 위해 문제를 내어 묻는 조사
⇨ | 서 | ㅁ | 조 | 사 |

5 외래어 표기 뷔페

✏️ 다음 문장에 알맞은 낱말을 찾아 ○표 하세요.

1 어제 저녁에 우리 가족은 (부페 / 뷔페)에서 식사를 했다.

2 질 높은 한류 (컨텐츠 / 콘텐츠)가 세계를 열광하게 하고 있다.
　　　　　　　　통신망 등을 통해 제공되는 각정 정보나 내용물

3 사촌 형은 명문 고등학교 (배지 / 뱃지)를 가슴에 달고 있었다.
　　　　　　　　신분을 나타내거나 기념하기 위해 옷 등에 붙이는 물건

4 제주도에 가서 (렌트카 / 렌터카)를 빌려 구경을 다니기로 했다.
　　　　　　　　세를 내고 빌리는 자동차

5 수분 흡수력이 뛰어난 스포츠 (타올 / 타월)을 수영장에 갖고 갔다.

6 포장을 할 때에 환경을 위해 (스치로폼 / 스티로폼)의 사용을 자제하자.

7 그릇의 소재로는 도자기, 유리, (스텐레스 / 스테인리스) 등 여러 가지가 쓰인다.

98

⑧ 내 책은 책상 옆 (캐비넷 / 캐비닛) 안에 있어요.
서류나 물품 등을 넣어 보관하는 장

⑨ 가까운 (수퍼마켙 / 슈퍼마켓)에 가서 간식거리를 구입했다.
가족들이 함께 가서 식사하기 좋도록 꾸며진 식당

⑩ 신선한 과일로 만든 (주스 / 쥬스)를 마시는 것이 건강에 좋다.

⑪ 대학생 누나는 종종 집 근처 (커피숍 / 커피숖)에서 공부하곤 한다.

⑫ 유리창을 닦을 때 (스펀지 / 스폰지)에 비눗물을 묻혀 사용하면 좋다.

⑬ 우리 가족은 하루에 두 시간만 (테레비젼 / 텔레비전)을 시청하기로 했다.

⑭ (쥐라기 / 쥬라기)는 공룡을 비롯한 파충류가 지구를 지배하던 시기이다.
약 1억 8000만 년 전부터 1억 3500만 년 전까지의 지질 시대

⑮ 역 대합실의 (스낵 / 스넥) 코너에 잠시 앉아 따뜻한 우유와 빵을 먹었다.
간단한 식사나 간식거리

6 낱말 퀴즈

✏️ 빈칸에 알맞은 낱말을 써서 문장을 완성해 보세요.

1 농부는 논밭이, 어부는 바다가 삶의 [ㅌ | 저]이다.
　　　　　　　　　　　　　　　살림의 근거지가 되는 곳

2 [ㄷ | ㅈ | 매 | ㅊ]의 발달로 지역 사회가 변화하고 있다.
신문, TV등 많은 사람에게 대량으로 정보를 전달하는 매체

3 그는 심한 부상을 입어서 이번 대회에 [ㄱ | 궈]할 예정이다.
　　　　　　　　　　　　　　투표, 경기 등에 참가할 권리를 스스로 포기하는 것

4 저속한 말을 자주 사용하면 [푸 | 겨]이 낮은 사람으로 보인다.
　　　　　　　　　　사람 된 바탕과 타고난 성품, 품위

5 박 교수는 어려운 [재 | 저]을 학생들이 이해하기 쉽게 설명했다.
　　　　　　　대화나 연구 등에서 중심이 되는 문제

6 각종 쓰레기로 인한 환경 오염의 [시 | ㅌ]를 조사하기로 하였다.
　　　　　　　　　　있는 그대로의 상태 또는 실제 모양

7 여행을 떠나기 전에는 준비물에 대한 철저한 [저 | ㄱ]이 필요하다.
　　　　　　　　　　　　　　낱낱이 검사함.

✏️ **밑줄 친 부분의 글자 순서를 바르게 고쳐 써 보세요.**

1 농촌에 사는 사람들은 보통 <u>체동공</u> 의식이 강한 편
이다.
생활이나 행동, 목적 등을
같이 하는 집단
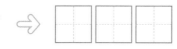

2 <u>감자신</u>이 넘치는 사람은 무슨 일을 맡겨도 적극적
자신이 있다는 느낌
이다.
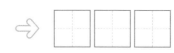

3 정부는 재난에 대한 <u>레사집</u>을 발간하여 만일을 대
비하게 하였다.
사례들을 모아 엮은 책
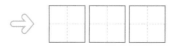

4 우리는 남에게 양보할 줄 아는 <u>심려배</u> 많은 사람이
되어야 합니다.
도와주거나 보살펴 주려는 마음

5 그녀는 대학을 졸업하고야 학벌에 대한 <u>열감등</u>을
극복할 수 있었다.
자기를 남보다 못하다고
낮추어 평가하는 감정
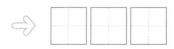

6 애견은 사람과 함께 살아가는 <u>반물동려</u>이자 우리의
가족이다.
사람이 의지하고자 가까이
두고 기르는 동물
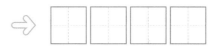

7 우리 형은 외국인과 <u>소사의통</u>이 자유로울 정도로
영어를 잘한다.
생각이나 뜻이 서로 통하여 오해가 없음.
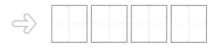

7 띄어쓰기

✏️ 다음 문장을 주어진 횟수에 따라 바르게 띄어 써 보세요.

1 나는할수있다. (3회)

나														

2 그렇게하면안돼. (3회)

그														

3 그게임은하기싫어. (3회)

그														

4 우리는다시할거야. (3회)

우														

5 어쩔수없이해야해. (4회)

어														

6 자전거가멋있어보여! (2회)

자														

7 갈수있을거야. (3회)

갈													

8 내일다시할거야. (3회)

내													

9 영화보러가고싶다.(3회)

영													

10 걸어가기멀어보인다. (2회)

걸													

11 빨리그일을해야해. (4회)

빨													

12 이렇게하면잘될까요? (3회)

이													

8 타교과 어휘 · 도덕

✏️ 빈칸에 알맞은 낱말을 주어진 글자 카드로 만들어 써 보세요.

격	성	신	언	의	찰

1 내가 책에서 찾은 ⬜⬜은 "시간은 금이다."라는 것이다.
인생의 교훈이나 경계 따위를 간결하게 표현한 짧은 글

2 두 사람은 서로의 비밀을 끝까지 말하지 않고 ⬜⬜를 지켰다.
믿음과 의리를 아울러 이르는 말

3 학교 수업에서 지난날 자신의 행동을 ⬜⬜해 보는 시간을 가졌다.
자신의 삶을 반성하며 깊이 살핌.

고	공	뇌	명	우	좌	헌

4 노벨은 인류 문명의 발전에 크게 ⬜⬜한 화학자이다.
힘을 써 이바지함.

5 시인 윤동주는 지식인으로서 겪어야 하는 ⬜⬜를 시로 표현했다.
정신적인 괴로움

6 모든 일에 적극적인 그의 ⬜⬜⬜은 '매사에 최선을 다하자.'이다.
가까이 두고 생활의 길잡이로 삼는 말이나 문구

✏️ 빈칸에 알맞은 낱말을 [보기]에서 찾아 써 보세요.

보기

경청   공정   대우   부당   원리   정의   평등

1 모든 국민은 법 앞에서 [   ] 하다.
권리, 의무, 자격 등이 차별 없이 고르고 한결같음.

2 일한 대가를 지불하지 않는 것은 [   ] 하다.
도리에 어긋나서 옳지 않음.

3 우리는 그의 집에 초대되어 정중한 [   ] 를 받았다.
예의를 갖추어 대하는 일

4 그의 이야기에 관심이 없는지 사람들은 [   ] 하지 않았다.
공경하는 마음으로 들음.

5 간단한 실험을 통해 로켓의 발사 [   ] 를 이해할 수 있었다.
기본이 되는 이치나 법칙

6 선거 관리 위원회는 [   ] 한 선거를 치르기 위해 감독을 강화할 것이다.
공평하고 올바름.

7 사회의 [   ] 를 바로 세우기 위해서 현실에 맞지 않은 법을 고쳐야 한다.
사회를 구성하고 유지하는 올바른 도리

105

다음 빈칸에 낱말을 넣어 문장을 완성하세요.

꼼수

째째한 수단이나 방법

⑩ 친구는 청소 시간에 아프다는 ☐☐를 부려 집에 갔다.

추리

알고 있는 것을 바탕으로 미루어 생각함.

⑩ 형사는 현장의 증거물을 바탕으로 사건을 ☐☐했다.

외래어

외국에서 들어온 말로 국어처럼 쓰이는 말

⑩ '버스, 잉크, 케이크' 등은 ☐☐☐☐이다.

쥐라기

약 1억 8000만 년 전부터 1억 3500만 년 전까지의 지질 시대

⑩ ☐☐☐에는 공룡과 같은 파충류들이 살았다.

성찰

자신의 삶을 반성하며 깊이 살핌.

⑩ 언어생활을 ☐☐하고 바른 말을 사용하기 위해 노력하자.

공동체

생활이나 행동, 목적 등을 같이 하는 집단

⑩ 몸이 아픈 사람들이 작은 마을에 ☐☐☐를 이루어 살고 있다.

설문 조사

통계를 얻기 위해 문제를 내어 묻는 조사

⑩ 제품을 개발하기 위해 ☐☐☐☐☐를 실시하기로 했다.

길라잡이

길을 안내해 주는 사람이나 사물

⑩ 우리는 마을 주민 중 산길에 밝은 ☐☐☐☐를 찾기로 했다.

경청

공경하는 마음으로 들음.

예 웃어른이 말씀하실 때에는 ☐☐해야 한다.

열등감

자기를 남보다 못하다고 낮추어 평가하는 감정

예 공부를 못한다고 ☐☐☐을 가져서는 안 된다.

기권

투표, 경기 등에 참가할 권리를 스스로 포기하는 것

예 갑자기 상대 선수가 겁을 집어먹고 ☐☐을 해 버렸다.

실태

있는 그대로의 상태 또는 실제 모양

예 우리말이 오염되고 있는 ☐☐에 대해 심각성을 느껴야 한다.

쟁점

대화나 연구 등에서 중심이 되는 문제

예 이 회의의 ☐☐은 지각비를 걷는 것이 바람직한가 하는 것이다.

공정

공평하고 올바름.

예 판사는 모든 사건에 대해 ☐☐하게 판결해야 할 의무가 있다.

현수막

선전문, 구호 등을 적어 걸어 놓은 막

예 ☐☐☐에는 이번 선거에 출마할 후보의 공약이 적혀 있었다.

반려동물

사람이 의지하고자 가까이 두고 기르는 동물

예 외로움을 달래려고 ☐☐☐☐을 키우는 사람들이 늘고 있다.

8 장 인물의 삶을 찾아서

1 주제별 어휘 1 전쟁

✏ 빈칸에 알맞은 낱말을 [보기]에서 찾아 써 보세요.

보기

| 군비 | 명령 | 수군 | 작전 | 포로 | 피난 |

1 용감한 우리 [ ]에 의해 왜군은 단번에 무너졌다.
　　　　　주로 바다에서 공격과 방어의 임무를 맡은 군대

2 군대는 목숨보다도 [ ]을 존중하는 특수 집단이다.
　　　　　상급자가 하급자에 군사적 행위를 하게 함.

3 맥아더 장군은 인천으로 상륙하는 [ ]을 지휘하였다.
　　　　　군사적 목적을 이루기 위해 행하는 방법이나 대책

4 적의 [ ]가 되느니 차라리 내 손으로 목숨을 끊으리라.
　　사로잡은 적

5 적이 서울로 밀려들어 와 정부는 수원으로 [ ]하게 되었다.
　　　　　　재난을 피하여 멀리 옮겨 감.

6 두 강대국의 [ ] 경쟁으로 세계는 전쟁의 위험에 처하게 되었다.
　　　전쟁을 수행하기 위해 갖춘 군사 시설이나 장비

108

2 주제별 어휘 2 숲

✏️ 빈칸에 알맞은 낱말을 써서 문장을 완성해 보세요.

1 지렁이의 배설물은 ｜ㅌ｜야｜을 기름지게 하고 부드럽게 해 준다.
식물에 영양을 공급하여 자라게 할 수 있는 흙

2 ｜ㅅ｜림｜을 보호하기 위해 등산객들의 입산을 금지할 계획이다.
산과 숲 또는 산에 있는 숲

3 우리 동네의 도로 양쪽에 심어져 있는 가로수가 ｜울｜ㅊ｜하｜다｜.
나무가 빽빽하게 우거지고 푸르다.

4 그 지방의 땅은 ｜ㅂ｜오｜해서 과일이 크고 맛있게 자라기로 유명하다.
땅이 걸고 기름짐.

5 식목일을 맞이하여 우리 학교는 교정에 다양한 ｜ㅁ｜모｜을 심기로 했다.
옮겨 심는 어린나무

6 가을 내내 아버지는 매일 산에 가서 ｜ㄸ｜가｜을 모으는 일에 집중하셨다.
불을 때는 데 쓰는 재료

7 정부에서는 무분별한 ｜ㅂ｜모｜을 통제하여 자원을 관리하는 데 신경 쓰고 있다.
숲의 나무를 벰.

109

3 잘못 쓰기 쉬운 말 빙그레

✏️ 다음 문장에 알맞은 낱말을 찾아 ○표 하세요.

1 아기가 (빙그레 / 빙그래) 웃음을 짓고 있다.

2 이 도시에 도서관이 (통털어 / 통틀어) 열 개가 넘는다.

3 어머니는 (텃밭 / 터밭)에 갖가지 채소를 심고 가꾸셨다.
집터에 딸리거나 집 가까이 있는 밭

4 승강기가 고장 났지만 다행히 (갇힌 / 갖힌) 사람은 없었다.

5 오늘따라 (유난히 / 유난이) 서쪽 하늘의 붉은 석양이 아름답다.

6 상대 배우 없이 (혼잣말 / 혼자말)을 하는 것을 독백이라고 한다.

7 선생님께서 학생들의 시험지를 보고 점수를 (매기셨다 / 메기셨다).

더 알아두기

맞춤법이란 문자로써 한 언어를 표기하는 규칙이나 낱말별로 굳어진 표기법을 말해요. 현재의 규정은 1988년에 정해진 것을 지금까지 따르고 있어요.

4 바꿔 쓸 수 있는 말 쓸쓸하다

🖊 빈칸에 가장 어울리는 낱말 쌍을 [보기]에서 찾아 형태에 맞게 써 보세요.

보기

괴상하다 – 특이하다	기습하다 – 습격하다	쓸쓸하다 – 삭막하다
끔찍하다 – 무참하다	위독하다 – 위중하다	추진하다 – 진행하다

①
┌ 텅 빈 집안의 분위기가 ☐☐ 하 다 .
└ 대체로 도시의 인심이 시골에 비해 ☐☐ 하 다 .

②
┌ 전쟁 중에 많은 사람들이 ☐☐ 하 게 죽었다.
└ 감옥으로 끌려간 독립투사들은 ☐☐ 하 게 폭행을 당했다.

③
┌ 그의 ☐☐ 한 걸음걸이에 사람들의 이목이 집중되었다.
└ 정우는 ☐☐ 한 성격 때문에 친구를 잘 사귀지 못한다.

④
┌ 지난해 고향으로 내려가신 할아버지가 ☐☐ 하 다 .
└ 며칠째 중환자실에 머무는 아저씨의 병환이 ☐☐ 하 다 .

⑤
┌ 굶주림에 불만이 폭발한 농민들이 관아를 ☐☐ 했 다 .
└ 숨어 있던 아군들이 어둠을 틈타 적군의 기지를 ☐☐ 했 다 .

⑥
┌ 대통령은 국가의 운명을 걸고 교육 개혁을 ☐☐ 했 다 .
└ 오래된 집을 허물고 새 건물을 짓기 위해 공사를 ☐☐ 했 다 .

5 꾸며 주는 말 속속들이

✏️ 밑줄 친 낱말을 따라 쓰고, 그에 알맞은 뜻을 [보기]에서 찾아 기호를 써 보세요.

보기

ㄱ 잇따라 자꾸   ㄴ 제때에 알맞게
ㄷ 깊은 속까지 샅샅이   ㄹ 이런저런 여러 가지의
ㅁ 함부로, 만만하게, 주제넘게   ㅂ 야단스럽게 드러나지 않고 은밀하게

1 기다리던 버스가 | 때 | 마 | 침 | 정류장에 들어서고 있었다. ⇨ [ ]

2 경수는 친구들에게 자기 자랑을 | 은 | 근 | 히 | 하는 편이다. ⇨ [ ]

3 검찰은 입시 비리를 | 속 | 속 | 들 | 이 | 파헤치기로 했다. ⇨ [ ]

4 면담을 앞두고 긴장했는지 | 연 | 신 | 땀이 흘러내렸다. ⇨ [ ]

5 동생의 서랍 속에 | 온 | 갖 | 잡동사니가 가득 들어 있었다. ⇨ [ ]

6 그는 사람들이 | 감 | 히 | 엄두도 못 낼 일을 척척 해냈다. ⇨ [ ]

6 뜻을 더하는 말 한-, 풋-

🖊 주어진 글자의 뜻을 참고하여 빈칸에 알맞은 낱말을 써 보세요.

| 한- | '정확한', '한창인'의 뜻을 더하는 말 |

1 무대의 | 한 | ㅂ | ㅍ | 에서 신나게 춤을 추었다.
사물의 한가운데

2 무더운 | 한 | | | 에는 모두 피서를 떠난다.
더위가 한창인 여름

3 | 한 | | | 에 초인종이 울려 잠에서 깨어났다.
밤 열두 시쯤 되는 깊은 밤중

4 몸 상태가 좋지 않아서 | 한 | | 을 푹 자고 밖으로 나갔다.
깊이 든 잠

| 풋- | '미숙한', '깊지 않은'의 뜻을 더하는 말 |

5 학창 시절 내 | 풋 | | | 의 대상은 선생님이었다.
어려서 깊이를 모르는 사랑. 미숙한 사랑

6 그는 일을 시작한 지 얼마 되지 않은 | 풋 | ㄴ | 기 | 이다.
경험이 적어 일이나 사회관계가 서툰 사람

7 밤새 뒤척거리던 누이는 새벽에 겨우 | 풋 | | 이 들었다.
잠든 지 얼마 안 되어 깊이 들지 못한 잠

7 자주 쓰는 말 결실을 맺다

🖉 그림의 상황에 어울리도록 빈칸에 알맞은 낱말을 [보기]에서 찾아 써 보세요.

보기

| 결실 | 눈살 | 머리 | 불똥 |

1

⇨ [　　　]을/를 맺다.

→ 노력한 일의 성과가 나타나다.

2

⇨ [　　　]을/를 싸매다.

→ 있는 힘을 다하여 노력하다.

3

⇨ [　　　]을/를 찌푸리다.

→ 못마땅한 뜻을 나타내어 양미간을 찡그리다.

4

⇨ [　　　]이/가 떨어지다.

→ 꾸지람을 듣거나 벌을 받다.

8 올바른 발음 갈등, 열중

한자어로 된 말에서, 'ㄹ' 받침 뒤에 연결되는 'ㄷ, ㅅ, ㅈ'은 된소리로 발음돼요.

갈등(葛藤) → [갈뜽]	열중(熱中) → [열쭝]

밑줄 친 낱말의 알맞은 발음을 찾아 ○표 하세요.

❶ 그는 일에 대한 <u>열정</u>이 남다르다.
어떤 일에 매우 열심을 내는 마음
⇨ [열정]   [열쩡]

❷ 시험을 준비하며 공부에 <u>열중</u>했다.
한 가지 일에 정신을 집중함.
⇨ [열중]   [열쭝]

❸ 두 사람은 아무 <u>갈등</u> 없이 잘 지냈다.
서로 대립하여 생기는 충돌
[갈등]   [갈뜽]

❹ 한 학급의 아이들이 <u>일시</u>에 웃음을 터트렸다.
같은 때
⇨ [일시]   [일씨]

❺ 친구의 <u>말장난</u>에 나도 모르게 버럭 화를 냈다.
⇨ [말·장난]   [말·짱난]

❻ 동생은 새로운 물건을 보면 호기심이 <u>발동</u>을 한다.
움직이거나 작용하기 시작함.
⇨ [발동]   [발똥]

❼ 친구들과 계곡에 가서 <u>물장구</u>를 치며 놀았다.
헤엄칠 때 발등으로 물 위를
잇달아 치는 일
⇨ [물장구]   [물짱구]

9 낱말 퀴즈

✏ 빈칸에 알맞은 낱말을 써서 문장을 완성해 보세요.

1 이곳은 경찰이나 군인들이 사망하면 묻히는 ㅁ ㅈ 이다.
　　　　　　　　　　　　　　　　　　무덤이 있는 땅

2 아버지는 딸에게 집에 일찍 들어오라고 ㅂ ㅎ ㄹ 을 내렸다.
　　　　　　　　　　　　　　　　　　몹시 심하게 하는 꾸지람

3 그 집은 울 ㅌ ㄹ 가 낮아 집 안 사람들의 모습이 훤히 보인다.
　　　　　　풀, 나무 등으로 얽어서 담 대신 경계를 짓는 물건

4 그 화가는 세계 여러 곳을 다니며 개인전과 전 ㄹ ㅎ 를 열었다.
　　　　　　　　　　　　　　　　소개, 교육 등을 위해 작품을 진열하여
　　　　　　　　　　　　　　　　여러 사람에게 보이는 모임

5 1970년대에는 ㅎ ㅍ 한 땅을 농토로 개간하는 데 많은 노력을 하였다.
　　　　　　　땅, 숲 등이 거칠어져 못 쓰게 됨.

6 몇 년 전부터 전국에 운전자를 위한 ㅈ ㅇ ㅅ 터 가 늘어나고 있다.
　　　　　　　　　　　　졸음운전을 예방하기 위하여 도로 중간에 설치한 쉬는 장소

7 교통난을 해소하기 위해 ㄷ ㅈ ㄱ ㅌ 을 이용할 것을 권장하였다.
　　　　　　　　　　여러 사람이 이용하는 버스, 지하철 등의 교통

8 적군의 배가 우리 거북선과 ㅍ ㅇ 선 의 공격을 받아 계속 침몰하고 있었다.
　　　　　　　　조선 시대 널빤지로 지붕을 덮은 전투를 위한 배

10 십자말풀이

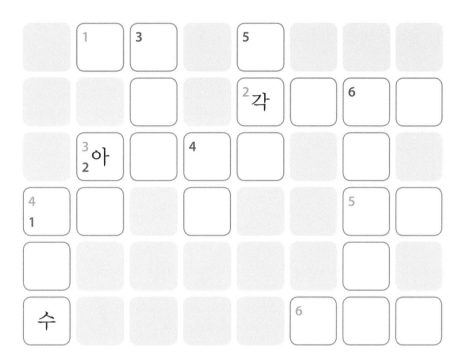

가로 열쇠

1. 지출이 수입보다 많은 상태 ㉑ 흑자
2. 앞으로 해야 할 일이나 겪을 일에 대한 마음의 준비를 하다.
3. 많은 사람이 법석을 떨어 야단이 난 곳
4. 남의 소유물이 되어 부림을 당하는 사람
5. 강가. 강의 가장자리
6. 자연환경을 보전하기 위해 조성한 숲지대

세로 열쇠

1. 기회를 노리고 쓰는 꾀 ㉔ ○○수
2. 일이 있기 전에 미리. 처음부터 ㉔ 길이 막힐까 봐 ○○ 일찍 출발했다.
3. 수의 자리
4. 배드민턴, 테니스, 탁구 등에서 공을 치는 채
5. 불에 태워 없애는 곳
6. 난 지 얼마 되지 않은 강아지 ㉟ ○○○○○ 범 무서운 줄 모른다.

✏️ 빈칸에 알맞은 낱말을 박스 안에서 찾아 써 보세요.

가계	주식	허위
금융		
한류	소득	이윤

1 기업의 목적은 장사를 해서 [   ]을 남기는 것이다.

물건이나 서비스를 생산, 판매해서 얻는 이익

2 그는 어릴 때부터 [   ]를 책임지면서 동생들을 돌보았다.

가정 살림을 같이 하는 생활 공동체

3 국민은 벌어들인 [   ]에 대한 세금을 내야 하는 의무가 있다.

일한 결과로 얻은 정신적 · 물질적 이익

4 한국 드라마와 같은 [   ] 문화를 즐기는 외국인이 늘고 있다.

우리나라의 드라마, 대중가요 등의 문화가 전 세계로 퍼지는 현상

5 물건을 훔치지 않았다는 그 사람의 자백은 모두 [   ]로 밝혀졌다.

진실이 아닌 것을 진실인 것처럼 꾸민 것

6 [   ] 기관인 은행은 사람들이 저축한 돈을 기업에게 빌려주는 역할을 한다.

필요한 돈을 공급하는 활동

7 올해 우리 회사는 직원들에게 성과급 대신에 [   ]을 나눠 주기로 결정하였다.

회사의 자본을 같은 값으로 나누어 놓은 단위,
또는 금액을 표시해 놓은 증권

✏️ **빈칸에 알맞은 낱말을 써서 문장을 완성해 보세요.**

1 이 커피의 ㅇ사지 는 무더운 열대 지방이다.
원료나 제품이 만들어진 곳

2 기존의 구리 전선을 새로 개발한 시ㅅ재 로 교체하였다.
전에는 없었던, 새로이 만들어 낸 물질

3 다니던 회사가 망하는 바람에 졸지에 시ㅇ자 가 되었다.
경제 활동을 해야 할 나이에 직업이 없는 사람

4 바ㄷㅊ 는 조건에 따라 전기가 통하기도 하고 안 통하기도 한다.
전자 기기에 중요하게 쓰이는 재료로, 도체와 부도체의 중간쯤 되는 물질

5 정부는 철강, 조선 등의 ㅈㄱ업 을 집중적으로 육성하기로 하였다.
주로 부피와 무게가 큰 재료나 기계 등을 생산하는 공업

6 우리나라는 1960년대에 신발 따위를 제조하는 ㄱㄱ업 에 주력했다.
사람들이 실제 생활에서 쓰는
작은 물건들을 생산하는 공업

7 1997년 말 우리나라는 외국에서 빌린 돈을 갚지 못해 오호 위기를 겪었다.
다른 나라와 거래할 때 쓴 돈이나
그 밖의 수단

어휘력을 높이는 확인 학습

다음 빈칸에 글자를 넣어 낱말을 완성하세요.

¹연⬚⬚ 잇따라 자꾸

²비⬚⬚ 땅이 걸고 기름짐.

³⬚속⬚이 깊은 속까지 샅샅이

⁴⬚림 산과 숲 또는 산에 있는 숲

⁵발⬚ 움직이거나 작용하기 시작함.

⁶⬚밤중 밤 열두 시쯤 되는 깊은 밤중

⁷⬚밭 집터에 딸리거나 집 가까이 있는 밭

⁸녹⬚대 자연환경을 보전하기 위해 조성한 숲지대

⁹⬚군 주로 바다에서 공격과 방어의 임무를 맡은 군대

¹⁰피⬚ 재난을 피하여 멀리 옮겨 감.

정답 1. 신   2. 옥   3. 속, 들   4. 산   5. 동   6. 한   7. 텃   8. 지   9. 수   10. 난

120

11 ☐ 각장 불에 태워 없애는 곳

12 불 ☐ 령 몹시 심하게 하는 꾸지람

13 ☐ 폐 땅, 숲 등이 거칠어져 못 쓰게 됨.

14 가 ☐ 가정 살림을 같이하는 생활 공동체

15 ☐ 수 ☐ 장 많은 사람이 법석을 떨어 야단이 난 곳

16 ☐ 내기 경험이 적어 일이나 사회관계가 서툰 사람

17 ☐ 업자 경제 활동을 해야 할 나이에 직업이 없는 사람

18 판 ☐ 선 조선 시대 널빤지로 지붕을 덮은 전투를 위한 배

19 ☐ 류 우리나라의 드라마, 대중가요 등의 문화가 전 세계로 퍼지는 현상

20 전 ☐ 회 소개, 교육 등을 위해 작품을 진열하여 여러 사람에게 보이는 모임

정답 **11.** 소 **12.** 호 **13.** 황 **14.** 계 **15.** 아, 라 **16.** 풋 **17.** 실 **18.** 옥 **19.** 한 **20.** 람

1 바꿔 쓸 수 있는 말 애초

🖉 밑줄 친 낱말과 바꿔 쓸 수 있는 낱말을 [보기]에서 찾아 써 보세요.

보기

처음   수심   역경   병폐   직분   호감

1 어머니는 할머니의 병세에 항상 <u>근심</u>이 가득하시다.
해결되지 않은 일 때문에
속을 태우거나 우울해함.
⇨ [   ]

2 국회의 <u>본분</u>은 국민의 뜻을 모아 법을 만드는 것이다.
의무적으로 지켜 행해야 할 의무
⇨ [   ]

3 인생을 살아가는 동안 수없이 많은 <u>난관</u>에 처하게 된다.
나가면서 부딪치는 어려운 위기
⇨ [   ]

4 이사 온 지 얼마 되지 않아 마을 사람들의 <u>환심</u>을 얻었다.
기뻐하고 즐거워하는 마음
⇨ [   ]

5 암행어사는 각 고을의 <u>악폐</u>를 바로 잡는 업무를 수행했다.
옳지 못한 경향이나 해로운 현상
⇨ [   ]

6 끝까지 해낼 생각이 없다면 <u>애초</u>에 시작하지 않는 것이 좋다.
맨 처음
⇨ [   ]

2 흉내 내는 말 허겁지겁

🖉 빈칸에 알맞은 낱말을 [보기]에서 찾아 써 보세요.

보기

느물느물   주뼛주뼛   지척지척   허겁지겁   사부작사부작   주저리주저리

1 그는 밤마다 집 근처 산 둘레길을 _____ 걸었다.
별로 힘들이지 않고 계속 가볍게 행동하는 모양

2 늦잠을 잔 철수는 수업에 늦을까봐 _____ 집을 나섰다.
조급해서 몹시 허둥거리는 모양

3 수상한 아저씨가 _____ 속내를 알 수 없게 웃으며 이야기했다.
행동이나 말을 자꾸 능글맞게 하는 모양

4 아이는 신이 나서 계속해서 _____ 떠들며 이야기하고 있었다.
이것저것 끊임없이 이야기하는 모양

5 친구들에게 얼떨결에 떠밀려 나간 영수는 _____ 발표를 시작했다.
부끄럽거나 두려워 망설이며 머뭇머뭇하는 모양

6 피곤이 밀려드는지 아내는 저만치 뒤에서 _____ 따라오고 있었다.
힘없이 다리를 끌면서 억지로 걷는 모양

123

3 헷갈리기 쉬운 말 너머/넘어

🖊 주어진 설명을 참고하여 문장에 어울리는 말을 찾아 ○표 하세요.

-너머	담, 고개 등 높은 것의 저쪽을 가리키는 말
-넘어	'넘다'가 쓰임에 따라 변한 활용 형태

① 붉은 해가 저 산 (너머 / 넘어) 뉘엿뉘엿 넘어갔다.

② 우리 할아버지는 육이오 때 삼팔선을 (너머 / 넘어) 남쪽으로 내려오셨다.

맞다	동작을 나타내는 말. 문장에서 쓰임에 따라 '맞는'으로 바뀜.
알맞다	상태를 나타내는 말. 문장에서 쓰임에 따라 '알맞은'으로 바뀜.

③ 봄, 가을은 나들이하기에 (알맞은 / 알맞는) 계절이다.

④ 이 책은 역사적 사실에 (맞은 / 맞는) 내용을 담고 있다.

로서	지위나 신분, 자격을 나타내는 말
로써	물건의 재료나 원료를 나타내거나, 일의 수단이나 도구를 나타내는 말

⑤ 이 샐러드는 신선한 (야채로서 / 야채로써) 만들어져서 건강에 좋다.

⑥ 이 문제는 (대화로서 / 대화로써) 해결하는 것이 가장 현명한 방법이다.

⑦ 이 건물은 조선 시대 대표적인 (건축물로서 / 건축물로써) 특히 후원이 유명하다.

왠지	'왜인지'의 준말. '왜 그런지 모르게'의 뜻의 나타냄.
웬일	'어찌 된 일'을 뜻하는 말. '의외의 뜻'을 나타냄.

⑧ 오늘은 (왠지 / 웬지) 몸에 기운이 없다.

⑨ (왠일 / 웬일)로 네가 나한테 전화를 했니?

⑩ 접시를 깨트리자, (왠지 / 웬지) 불길한 예감이 들었다.

⑪ (왠일 / 웬일)인지 아버지가 주말에 놀이동산에 가자고 했다.

−든지	여러 상태 중에서 하나를 선택하는 의미를 나타낼 때 쓰이는 말
−던지	의문이 있는 채로 뒷말의 사실이나 판단과 관련시키는 데 쓰이는 말

⑫ 우리 민족은 어디에 (살든지 / 살던지) 뛰어난 적응력을 가지고 있다.

⑬ 오늘은 집에서 (놀든지 / 놀던지) 밖에서 (놀든지 / 놀던지) 맘대로 해도 된다.

⑭ 영수가 학교에서 어찌나 밥을 많이 (먹든지 / 먹던지) 배탈이 날까 걱정이 된다.

⑮ 그녀는 혼자 남겨진 아이가 (불쌍했든지 / 불쌍했던지) 몇 번이고 뒤를 돌아보았다.

4 사자성어 구사일생(九死一生)

✏️ [보기]의 글자 카드를 사용하여 문장 안의 사자성어를 완성해 보세요.

보기

구	비		동	락		비	재
일	각		일	생		지	명

① 그는 비행기 사고에서 [구][사][ ][ ] 으로 살아남았다.
죽을 위기를 여러 차례 넘기고 겨우 살아남(九死一生).

② 사업을 하려면 장래를 내다보는 [선][견][ ][ ] 이 있어야 한다.
어떤 일이 일어나기 전에 미리 앞을 내다보고 아는 지혜(先見之明)

③ 신랑과 신부는 하늘을 두고 한평생을 [동][고][ ][ ] 하기로 맹세했다.
괴로움도 즐거움도 함께함(同苦同樂).

④ 우리가 알고 있는 그 사람의 선행은 [빙][산][ ][ ] 에 지나지 않는다.
드러나 있는 것이 극히 일부분에 지나지 않음(氷山一角).

⑤ 결혼식장에서 본 사촌누나의 신랑감은 [이][목][ ][ ] 가 뚜렷하게 생겼다.
귀, 눈, 입, 코를 모두 이르는 말, 얼굴의 생김새(耳目口鼻)

⑥ 일본은 지진으로 인해 땅이 흔들리는 일이 [비][일][ ][ ] 하게 일어난다.
같은 현상이나 일이 한두 번이나 한둘이 아니고 많음(非一非再).

126

5 속담 하늘의 별 따기

🖊 빈칸에 알맞은 낱말을 [보기]에서 찾아 속담을 완성해 보세요.

보기

| 별 | 계란 | 도끼 | 안경 | 장날 | 목구멍 |

1 보잘것없는 물건이라도 제 마음에 들면 좋게 보인다는 말

제 눈에 [   ] 이다.

2 맞서 겨루어도 도저히 이길 수 없는 경우를 이르는 말

[   ] 으로 바위치기

3 뜻하지 않은 일을 우연하게 당하게 되는 경우를 이르는 말

가는 날이 [   ] 이다.

4 잘 알고 있다고 조심하지 않다가 큰 실수를 하게 된다는 말

믿는 [   ] 에 발등 찍힌다.

5 무엇을 얻거나 이루기가 매우 어려운 경우를 이르는 말

하늘의 [   ] 따기

6 먹고살기 위해 꺼려지는 일까지 할 수밖에 없음을 이르는 말

[   ] 이 포도청

6 낱말 퀴즈

✏️ 빈칸에 알맞은 낱말을 써서 문장을 완성해 보세요.

1 도시 주변의 | 무 | ㅂ | 별 | 한 도시화 개발을 막아야 한다.
분별이 없음.

2 그녀는 집안을 돌보지 않는 남편에 대한 | 원 | 므 | 이 쌓여 갔다.
못마땅하게 여기어 탓하거나 불평을 품고 미워함.

3 정약용 선생은 | ㅇ | ㅂ | 지 | 인 다산 초당에서 많은 책을 집필하였다.
죄인을 귀양 보냈던 곳

4 철수는 성실하고 악착같은 | ㄱ | 서 | 이 있어 마라톤을 완주할 수 있었다.
태어날 때부터 지니고 있는 본래의 성질

5 비슷한 나이의 사람들을 만나면 쉽게 | ㄱ | 가 | 대 | 가 형성되는 것 같다.
남의 감정과 의견 등에 함께 느끼는 부분

6 학생들은 수업이 끝나고 상급 학교 진학을 위한 | ㅂ | 추 | 수업을 시작했다.
부족한 것을 보태어 채움.

7 큰형은 집안에 보탬을 주기 위해 직장 생활과 부업을 | 벼 | 해 | 하여 돈을 모았다.
둘 이상의 일을 한꺼번에 함.

✏️ **다음 박스 안에서 밑줄 친 낱말의 알맞은 뜻을 찾아 그 기호를 써 보세요.**

㉠ 비밀이 새어 나감.
㉡ 미루어 생각하여 판정함.
㉢ 사실과 다르게 해석하거나 그릇되게 함.
㉣ 두루 돌아다니며 그 지역의 사정을 살핌.
㉤ 옷 등이 낡아 해지고 치림새가 너저분함.
㉥ 물체의 그림자를 어떤 물체 위에 비추는 일
㉦ 막히지 않고 잘 통함. 서로 통하여 오해가 없음.

1 연못에 <u>투영</u>된 하늘빛이 바람결에 일렁거렸다. ⇨ ☐

2 아무리 옷차림이 <u>남루</u>해도 손님을 소홀히 대해서는 안 된다. ⇨ ☐

3 구청장이 홍수 피해 지역에 <u>시찰</u>을 나와 이재민을 위로했다. ⇨ ☐

4 어렸을 때부터 나는 세계와 <u>소통</u>하고 싶다는 꿈을 키워 왔다. ⇨ ☐

5 현재까지 <u>추정</u>으로는 부상자 15명, 사망자 10명으로 파악됩니다. ⇨ ☐

6 문자로만 의사소통을 하면 그 뜻이 <u>왜곡</u>되어 잘못 전달될 수 있다. ⇨ ☐

7 올바른 발음 눈

형태가 같은 낱말의 경우 발음으로 의미를 구분하기도 해요. 사람의 신체 기관을 의미하는 '눈'은 짧게 발음하고, 겨울에 내리는 '눈'은 길게 발음하지요.

눈[눈] → 사람의 눈
짧게 발음할 때

눈[눈ː] → 내리는 눈
길게 발음할 때

✏️ 다음 그림에 알맞은 낱말의 발음을 찾아 ○표 하세요.

① [말] [말ː]

② [말] [말ː]

③ [굴] [굴ː]

④ [굴] [굴ː]

⑤ [벌] [벌ː]

⑥ [벌] [벌ː]

⑦ [밤] [밤ː]

⑧ [밤] [밤ː]

8 잘못 쓰기 쉬운 말 게시판

✏️ **다음 문장에 알맞은 낱말을 찾아 ○표 하세요.**

1 오늘 아버지와 함께 장마를 대비해 집 (안밖 / 안팎)을 점검했다.
   사물이나 영역의 안과 밖

2 영민이는 괜히 옆에서 편들다가 욕만 (곱빼기 / 곱배기)로 얻어먹었다.
   두 배의 분량

3 교향악단의 연주가 끝나자 (우뢰 / 우레)와 같은 박수가 쏟아져 나왔다.
   천둥

4 학교의 전자 (게시판 / 계시판)에서 각종 학교 소식을 찾아 볼 수 있다.
   알림판, 안내판

5 침대 위에 드러누운 채 명수는 멍하니 (천장 / 천정)만 바라보고 있었다.
   지붕의 안쪽

6 우리의 간절한 (바람 / 바램)은 군사적 대립이 없는 평화적 남북통일이다.
   어떤 일이 이루어지기를 기다리는 간절한 마음

7 고속 도로 통행료에는 도로 사용료와 (휴게소 / 휴계소) 사용료가 포함되어 있다.
   길을 가는 사람이 잠깐 쉴 수 있게 마련한 장소

9 타교과 어휘 과학

밑줄 친 낱말에 알맞은 뜻을 찾아 연결하세요.

① 현대는 <u>첨단</u> 과학의
시대이다. • • 빛, 소리의 진행 방향이
바뀌는 현상

② 대기의 <u>굴절</u>에 의해
빛이 퍼진다. • • 유행의 맨 앞 장

③ 이 선을 <u>경계</u>로 하여
강원도가 시작된다. • • 다른 것을 본뜨거나 본받음.

④ 그는 어린 동생들을 돌보는
맏형 <u>구실</u>을 한다. • • 서로 다른 두 지역이
만나는 지점

⑤ 공원 이용객을 위해
<u>간이</u> 화장실이 만들었다. • • 자기가 마땅히 해야 할
맡은 바 책임

⑥ 예술은 <u>모방</u>보다 창조를
가치 있는 것으로 여긴다. • • 어떤 시설의 기능이나
목적에 맞게 기본적 요소만
간단히 갖춘 것

✏️ **밑줄 친 말과 바꿔 쓸 수 있는 낱말에 ○표 하세요.**

1 짚신벌레는 <u>한 개의 핵을 가진</u> 단세포생물이다. ⇨ 단생생물   원생생물

2 사고로 인해 <u>살아 있는 몸</u>의 기능이 마비되었다. ⇨ 생체   신체

3 자외선은 <u>사람의 눈으로 볼 수 있는 빛</u>이 아니다. ⇨ 적외선   가시광선

4 꽃, 씨를 맺지 않는 식물의 <u>생식 세포를 '홀씨'</u>라고도 한다. ⇨ 종자   포자

5 학생들은 <u>빛을 굴절·분산시키는 광학 부품</u>으로 무지개 색 빛깔을 확인했다. ⇨ 프리즘   현미경

6 버섯류는 <u>균류의 몸을 이루는 실 모양의 세포 덩어리</u>와 번식 기관인 포자를 지니고 있다. ⇨ 균사체   균세포

7 현미경으로 <u>물체의 모습을 확대하는 비율</u>이 높은 기구를 사용해야 바이러스를 관찰할 수 있다. ⇨ 배율   이율

어휘력을 높이는 확인 학습

다음 빈칸에 낱말을 넣어 문장을 완성하세요.

왠지

왜 그런지 모르게

(예) 오늘은 ☐☐ 좋은 일이 생길 것만 같다.

너머

담, 고개 등 높은 것의 저쪽을 가리키는 말

(예) 저 산 ☐☐에는 나의 오누이가 살고 있다.

환심

기뻐하고 즐거워하는 마음

(예) 마을 주민들의 ☐☐을 사기 위해 떡을 돌렸다.

안팎

사물이나 영역의 안과 밖

(예) 나라 ☐☐으로 해결해야 할 문제가 쌓여 있다.

모방

다른 것을 본뜨거나 본받음.

(예) 어린이는 어른의 행동을 ☐☐하는 것을 즐긴다.

공감대

남의 감정과 의견 등에 함께 느끼는 부분

(예) 비슷한 나이인 사람을 만나면 쉽게 ☐☐☐가 형성된다.

추정

미루어 생각하여 판정함.

(예) 자료로 ☐☐해 보건대, 이 지역에 지진이 날 가능성이 높다.

난관

나가면서 부딪치는 어려운 위기

(예) ☐☐에 부딪치더라도 열심히 노력하면 좋은 결과를 얻을 것이다.

9장

왜곡	사실과 다르게 해석하거나 그릇되게 함. 예 신문사에서 사실을 ☐☐하여 보도하였다.
근성	태어날 때부터 지니고 있는 본래의 성질 예 녀석은 ☐☐이 있어 쉽게 포기하지 않을 거야.
가시광선	사람의 눈으로 볼 수 있는 빛 예 빛은 크게 자외선, 적외선, ☐☐☐☐으로 나뉜다.
생체	살아 있는 몸 예 지문 인식 시스템은 ☐☐ 인증 기술의 하나이다.
병행	둘 이상의 일을 한꺼번에 함. 예 살을 빼기 위해 음식 조절과 운동을 ☐☐하였다.
주뼛주뼛	부끄럽거나 두려워 망설이며 머뭇머뭇하는 모양 예 아이는 처음 보는 손님이 낯선지 ☐☐☐☐다가갔다.
남루	옷 등이 낡아 해지고 차림새가 너저분함. 예 십 년 만에 나타난 노인의 옷차림은 매우 ☐☐했다.
바람	어떤 일이 이루어지기를 기다리는 간절한 마음 예 나의 ☐☐은 우리 가족이 오순도순 모여 사는 것이다.

MEMO

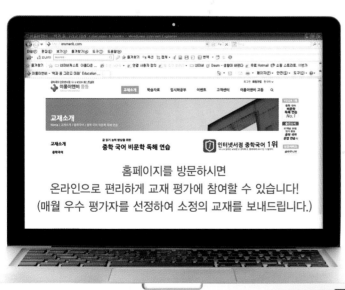

글 읽기 능력이 향상되면
모든 공부의 **차신감**도 **향상**됩니다.

숨마어린이
초등국어 **독해왕** 시리즈
1단계 / 2단계 / 3단계 / 4단계 / 5단계 / 6단계 (전 6권)

다양한 글들을
쉽고 재미있게
공부하다 보면
독해왕이 됩니다!!!

숨마 어린이®

초등국어 어휘력 향상을 위한

어휘왕

6-1

정답 및 해설

초등국어 어휘력 향상을 위한

어휘 왕

6-1

이룸이앤비
Education & Books

1장 비유하는 표현

국어 교과서 30~51쪽

1 비유적 표현

어떤 사물의 모양이나 상태를 효과적으로 표현하기 위해 그와 비슷한 다른 사물에 빗대어 표현하는 방법을 '비유적 표현'이라고 해요.

사과 같은 내 얼굴
보조 관념 　 원관념

내 마음은 호수
원관념 　 보조 관념

다음 설명에 알맞은 비유적 표현 방법을 [보기]에서 찾아 써 보세요.

보기

대유법	직유법	은유법	의인법	풍유법	활유법

1. 사람이 아닌 것을 사람인 것처럼 표현하는 방법 ⇨ 의인법

2. 속담 등의 말을 이용하여 숨겨진 뜻을 알리는 방법 ⇨ 풍유법

3. 생물이 아닌 것을 살아 있는 생물처럼 표현하는 방법 ⇨ 활유법

4. 사물의 일부분이나 특징으로 전체를 대신 나타내는 방법 ⇨ 대유법

5. '~처럼, ~같이, ~ 듯이' 등의 연결어를 써서 어떤 사물을 다른 사물에 직접 빗대는 방법 ⇨ 직유법

6. 원뜻을 숨기고 그 특징을 잘 나타내는 다른 사물로 바꿔 '무엇은 무엇이다.'와 같이 표현하는 방법 ⇨ 은유법

10

주어진 말에 쓰인 비유적 표현 방법이 무엇인지 써 보세요.

1. 백옥 같은 피부
피부가 매우 하얗고 고움. ⇨ 직유법

2. 책은 마음의 양식
책은 마음을 채우는 영양분과 같음. ⇨ 은유법

3. 해를 집어삼키는 바다
바다 위로 날이 저무는 모습을 나타냄. ⇨ 활유법

4. 소 잃고 외양간 고친다.
일이 이미 잘못된 뒤에 손을 써도 소용이 없음. ⇨ 풍유법

5. 사람은 빵으로 살 수 없다.
배만 채우는 것으로는 삶의 의미를 찾을 수 없음. ⇨ 대유법

6. 꽃들이 나에게 인사를 한다.
꽃들이 활짝 피거나 또는 바람에 흔들림. ⇨ 의인법

도움말▲ 사람이 할 수 있는 동작이면 의인법, 생물이 할 수 있는 동작이면 활유법이에요.

더 알아두기 어떤 사물의 모양이나 상태를 효과적으로 표현하기 위해 사용하는 방법이 '비유'라면, '상징'은 추상적인 것을 구체적인 사물로 나타내어 머릿속에 떠올릴 수 있게 하는 표현 방법이에요. '평화'와 같이 추상적인 내용을 '비둘기'와 같이 구체적인 사물을 통해 나타내는 것을 예로 들 수 있어요.

11

---

2 주제별 어휘 1 봄꽃

봄이 오면 산과 들에 다채로운 꽃들이 피어요. 봄을 상징하는 봄꽃들은 문학 작품에도 자주 등장하는 소재이기도 해요.

주어진 사진에 알맞은 봄꽃의 이름을 써 보세요.

1. 벚꽃
분홍빛이나 흰빛의 벚나무 꽃

2. 목련꽃
향기 있는 하얀 큰 꽃이 잎보다 먼저 피는 꽃

도움말▲ 뜻을 외우는 것보다 이미지와 꽃 이름을 연결 지어 이해하는 것이 중요해요.

3. 유채꽃
잎과 줄기는 나물로 먹고 씨는 기름을 짜는 노란 꽃

4. 개나리꽃
긴 가지에 다닥다닥 피는 노란 꽃

5. 진달래꽃
꽃부리가 다섯 갈래로 갈라진 분홍색의 덤불 나무 꽃

6. 민들레꽃
노랗거나 하얗게 피며, 바람에 흩어지는 씨를 맺는 꽃

12

---

3 주제별 어휘 2 클래식 음악

클래식 음악은 사람의 목소리가 사용되는지 아닌지에 따라 '성악'과 '기악'으로 나눌 수 있어요. 성악과 기악도 그 표현 방법에 따라 여러 가지로 나눌 수 있어요.

도움말▲ '클래식'은 서양의 전통 기법으로 만든 음악으로, 고전 음악이라고도 하지요.

빈칸에 알맞은 낱말을 [보기]에서 찾아 써 보세요.

보기

가곡	성가	교향곡	독주곡	오페라	칸타타	협주곡

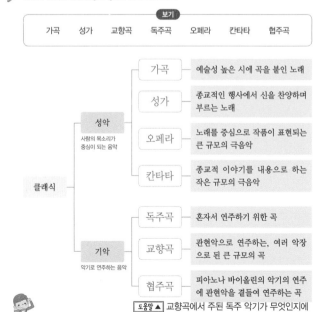

클래식
- 성악 (사람의 목소리가 중심이 되는 음악)
  - 가곡 : 예술성 높은 시에 곡을 붙인 노래
  - 성가 : 종교적인 행사에서 신을 찬양하며 부르는 노래
  - 오페라 : 노래를 중심으로 작품이 표현되는 큰 규모의 극음악
  - 칸타타 : 종교적 이야기를 내용으로 하는 작은 규모의 극음악
- 기악 (악기로 연주하는 음악)
  - 독주곡 : 혼자서 연주하기 위한 곡
  - 교향곡 : 관현악으로 연주하는, 여러 악장으로 된 큰 규모의 곡
  - 협주곡 : 피아노나 바이올린의 악기의 연주에 관현악을 곁들여 연주하는 곡

도움말▲ 교향곡에서 주된 독주 악기가 무엇인지에 따라 '바이올린 협주곡', '피아노 협주곡'으로 불려요.

더 알아두기 관을 입으로 불어서 소리를 내는 악기를 관악기, 바이올린처럼 줄을 튕겨서 소리를 내는 악기를 현악기라고 해요. 관악기와 현악기를 합쳐 관현악기라고도 하지요.

13

4 뜻을 더하는 말 –간(間)

한자어 '간(間)'은 기본적으로 '사이'라는 뜻을 가지고 있지만, 낱말 뒤에 쓰여 '~하는 곳'의 의미를 더해 주는 말로 사용되기도 해요.

間 → 사이 / 때 / … / 무엇이 존재하거나 사용되는 곳

도움말▲ '간(間)'이 '~과 ~ 사이'를 나타낼 때에는 주로 앞말과 띄어 써요.

🖊 주어진 뜻을 참고하여 빈칸에 알맞은 낱말을 써 보세요.

1 대소변을 보도록 만들어 놓은 작은 집
예 ☐☐ 과 사돈집은 멀어야 한다.　　⇨　뒷 간

2 장독을 놓아 둔 곳
예 마당 한 구석의 ☐☐☐　　⇨　장 독 간

3 소나 말을 먹이고 기르는 건물
예 소 잃고 ☐☐☐ 고친다.　　⇨　외 양 간

4 소나 돼지 등의 고기를 파는 가게
예 ☐☐☐ 에 든 소 = 독 안에 든 쥐　　⇨　푸 줏 간

5 임금의 진지를 짓던 주방
예 임금의 식사를 준비하는 ☐☐☐ 상궁들　　⇨　수 라 간

6 방아를 놓고 곡식을 찧거나 빻는 가게
예 참새가 ☐☐☐ 을 그냥 지나가랴.　　⇨　방 앗 간

14

5 한자어 단(單), 폭(爆), 률(律)

🖊 밑줄 친 낱말들 중 주어진 한자가 쓰이지 않은 것을 찾아 ✔표 하세요.

1 單
홑 단

☐ 아메바는 <u>단세포</u> 생물이다.
　한 개의 세포로 이루어진 생물
☐ 그는 <u>단판</u>에 승부를 결정지었다.
　단 한 번에 승패를 가르는 판
☐ 우리는 둘도 없는 <u>단짝</u> 친구가 되었다.
　매우 친하여 늘 함께 어울리는 사이
✔ 그들은 성공하리라는 <u>단꿈</u>에 젖어 있었다.
　달콤한 꿈

2 爆
터질 폭

☐ 히로시마에 <u>폭탄</u>이 떨어졌다.
　터뜨려서 사람을 죽이거나 시설을 파괴하는 물건
☐ <u>폭약</u>을 실은 기차가 국경을 넘었다.
　폭발을 일으키는 화학 물질
✔ 오늘밤 <u>폭풍</u>이 몰아칠 것이라는 예보가 있었다.
　몹시 세차게 부는 바람
☐ 불꽃 축제에 가면 수많은 <u>폭죽</u>을 구경할 수 있다.
　화약을 터뜨려 불꽃이 나게 하는 물건

3 律
법칙 률

☐ <u>운율</u>에 맞춰 시를 낭송하다.
　시에서 비슷한 소리의 요소가 일정한 사이를 두고 반복되는 것
☐ 이 노래는 <u>음률</u>이 아름답다.
　음악에서 소리의 높낮이와 박자
☐ 국회는 <u>법률</u>을 만드는 곳이다.
　국가에서 정하여 국민이 따라야 하는 규칙
✔ 유통 기한이 많이 남은 상품일수록 <u>할인율</u>이 낮다.
　물건 값을 깎아 주는 비율

도움말▲ 맞춤법에 따라 모음이나 'ㄴ' 받침 뒤에 이어지는 '률'은 '율'로 적는다는 것도 기억하세요.

15

6 헷갈리기 쉬운 말 –오

문장의 끝맺음을 나타내는 말 '–오'는 '요'로 소리 나더라도 '–오'로 써야 해요. 생략했을 때에도 문장이 성립한다면 '–요'로 쓰도록 해요.

뺑이오!　　학교에 도착했어요.
생략하면 문장이 안 됨.　　생략해도 문장이 됨.

🖊 다음 문장에서 '–오'와 '–요'의 쓰임이 올바른 것을 찾아 ○표 하세요.

1 ⇨ 나를 따라 (⊙오시오 / 오시요).

2 ⇨ 그것은 내 잘못이 (⊙아니오 / 아니요).

3 ⇨ 문을 열려면, 옆으로 (⊙미시오 / 미시요).

4 ⇨ (아니오 / ⊙아니요), 그건 제가 하지 않았어요.
도움말▲ 윗사람이 묻는 말에 부정하여 대답할 때에는 '아니오'가 아니라 '아니요'로 써야 해요.

16

7 뜻이 여러 가지인 말 고소하다

🖊 밑줄 친 낱말의 알맞은 뜻을 찾아 번호를 써 보세요.

고소하다	① 볶은 깨, 참기름 따위에서 나는 맛이나 냄새와 같다.
	② 기분이 유쾌하고 재미있다.
	③ 미운 사람이 잘못되는 것을 보고 속이 시원하고 재미있다.

도움말▲ 경찰에 알려 처벌해 줄 것을 요구한다는 뜻의 '고소하다'는 전혀 다른 낱말이에요.

1 갓 무친 나물에서 <u>고소한</u> 냄새가 난다.　　(①)

2 이모는 신혼살림의 재미가 꽤 <u>고소한가</u> 보다.　　(②)

3 아주머니께서 주신 생콩이 볶은 콩처럼 <u>고소했다</u>.　　(①)

4 나를 괴롭히던 아이가 선생님께 혼나는 것을 보니 <u>고소했다</u>.　　(③)

헤어지다	① 모여 있던 사람들이 따로따로 흩어지다.
	② 사귐이나 맺은 정을 끊고 갈라서다.
	③ 살갗이 터져 갈라지다.

5 추위에 입술이 <u>헤어졌다</u>.　　(③)

6 모임이 끝나고 친구들과 <u>헤어졌다</u>.　　(①)

7 두 사람은 10여 년의 결혼 생활을 정리하고 <u>헤어졌다</u>.　　(②)

8 함께 일해 온 두 사람은 새로운 사업을 하기 위해 <u>헤어졌다</u>.　　(②)

17

8 움직임을 나타내는 말 1 낭송하다

'크게 소리를 내어 글을 읽거나 외다.'라는 뜻의 '낭송하다'는 동작을 나타내는 말이에요. 이렇게 동작을 나타내는 말을 '동사'라고 해요. 동사는 쓰임에 따라 그 형태가 조금씩 변해요.

✏️ 다음 밑줄 친 낱말의 기본형을 쓰고, 그에 맞는 뜻풀이를 완성해 보세요.

1 아이들 앞에서 시를 낭송했다.

➡️ 낭송하다 : 크게 소 리 를 내어 글을 읽거나 외다.

2 그의 올곧은 성품을 대나무에 빗대어 표현했다.

➡️ 빗대다 : 곧 바 로 말하지 아니하고 빙 둘러서 말하다.

3 그는 떠오르는 시를 마음속으로 읊조려 보았다.

➡️ 읊조리다 : 뜻을 음 미 하면서 낮은 목소리로 시를 읊다.
내용이나 속뜻을 깊이 새겨 감상하거나 따져 봄.

4 몇십 년을 떨어져 지낸 자매는 만나자마자 서로 얼싸안았다.

➡️ 얼싸안다 : 두 팔 을 벌리어 껴안다.

5 아이들은 서로 키를 견주어 키가 큰 아이를 대장으로 삼았다.

➡️ 견주다 : 어떠한 차 이 가 있는지 알기 위하여 서로 대어 보다.

6 그는 어렸을 때 자신을 낳아 주신 부모님과 헤지고 말았다.

➡️ 헤지다 : 헤 어 지 다 의 준말

18

9 움직임을 나타내는 말 2 흔들리다

'나부끼다', '일렁이다', '털럭거리다' 등은 모두 흔들리는 모양을 나타내는 말이지만 대상에 따라 쓰일 수 있는 말이 정해져 있어요.

깃발 이 **나부끼다**. 파도 가 **일렁이다**. 달구지 가 **털럭거리다**.

도움말 ▲ 가벼운 물체일 때에는 '나부끼다'를, 액체 등에는 '일렁이다'를, 탈것에는 '털럭거리다'를 써요.

✏️ 다음 문장에 어울리는 낱말을 찾아 ○표 하세요.

1 자갈밭을 지나는 수레가 (나부낀다 / 일렁인다 /(털럭거린다)).
도움말 ▲ 문장 안에서 주어 또는 꾸밈을 받는 말이 무엇인지 확인하고, 그에 어울리는 낱말을 고르면 돼요.

2 만국기가 바람에 ((나부끼고)/ 일렁이고 / 털럭거리고) 있었다.

3 드넓은 들판에 황금물결이 (나부낀다 /(일렁인다)/ 털럭거린다).

4 바람이 세차게 불어 널어놓은 빨래가 ((나부낀다)/ 일렁인다 / 털럭거린다).

5 내 고물 자전거는 페달을 밟을 때마다 (나부낀다 / 일렁인다 /(털럭거린다)).

6 바다 위에서 파도를 따라 (나부끼는 /(일렁이는)/ 털럭거리는) 돛배를 보아라.

7 달리는 자동차의 창문을 여니, 머리카락이 ((나부낀다)/ 일렁인다 / 털럭거린다).

19

10 (타교과 어휘) 사회

✏️ 빈칸에 알맞은 낱말을 써서 문장을 완성해 보세요.

1 두 나라는 서로 침범하지 않겠다는 조 약 을 체결하였다.
문서에 의한 국가 간의 약속

2 다산 정약용은 실생활에 유익한 학문인 실 학 을 집대성한 학자이다.
조선 후기 실생활의 향상과 사회 제도의 개선을 이루고자 한 학문

3 조선 사회는 붕 당 간의 대립으로 정책을 결정하는 데 어려움을 겪었다.
학문이나 정치적으로 생각을 같이하는 양반 집단
도움말 ▲ '붕당'은 오늘날의 정당과 비슷한 역할을 했어요.

4 도시가 급속하게 근 대 화 되면서 전통적인 옛 모습이 점점 사라져 갔다.
옛날 방식을 버리고 근대의 특징을 받아들이는 것

5 산업 혁명으로 대량 생산이 가능해지면서 상 공 업 은 눈부시게 발전했다.
상업과 공업을 함께 이르는 것

6 서양 문물에 관심을 가진 조선 학자들은 개 화 를 받아들이고 신학문을 공부했다.
외국의 제도, 사상을 받아들여 생각의 방법과 내용을 바꾸는 것
도움말 ▲ 19세기 후반부터 우리나라의 근대화가 이루어진 시기를 '개화기'라고 해요.

7 일본 군인들은 경복궁에 침입해 명성 황후를 시 해 하는 야만적인 행위를 저질렀다.
왕이나 왕비 등 윗사람을 죽이는 것

20

✏️ 빈칸에 알맞은 낱말을 주어진 글자 카드로 만들어 써 보세요.

거	광	병	복	의

1 연합군이 전쟁에서 승리하며 우리나라는 광복 을 맞이했다.
빼앗긴 국권을 다시 찾는 일
도움말 ▲ '광복'이라고도 하고, '해방'이라고도 해요.

2 전국에서 독재 정권에 항의하는 의거 가 잇따라 일어났다.
정의를 위하여 일으킨 사회적으로 중요한 일

3 그는 외적의 침입으로 나라가 어지러워지자 의병 에 지원하였다.
외적의 침입에 맞서 백성들이 조직한 군대

란	신	압	탁	탄	피

4 전쟁이 일어나자, 사람들은 마을을 버리고 피란 을 떠났다.
난리를 피하여 옮겨 가는 것

5 박 노인은 건강이 악화되자 자신의 모든 재산을 은행에 신탁 했다.
재산의 관리와 처분을 남에게 맡김.

6 일제 강점기에 일본 경찰은 조선인들을 감시하고 독립운동을 탄압 했다.
권력이나 힘으로 눌러 꼼짝 못하게 함.

21

2_장 이야기를 간추려요

🔖 국어 교과서 52~93쪽

1 이야기의 구조, 요약

🖊 다음은 이야기의 구조를 구분한 것입니다. 빈칸에 알맞은 낱말을 넣어 뜻을 완성해 보세요.

① 발단 ➡ 이야기의 사건이 [시][작] 되는 부분

② 전개 ➡ 사건이 본격적으로 발생하고 [갈][등] 이 일어나는 부분

③ 절정 ➡ 사건이 커지면서 [긴][장][감] 이 가장 높아지는 부분

④ 결말 ➡ 사건이 [해][결] 되는 부분

🖊 다음은 이야기를 요약하는 방법입니다. 빈칸에 알맞은 낱말을 [보기]에서 찾아 써 보세요.

보기

결과   사건   삭제   연결

첫째, 이야기의 각 구조에서 중요한 [사건] 이 무엇인지 찾는다.

둘째, 각 부분에서 중요하지 않은 내용은 [삭제] 한다.

셋째, 중요한 사건이 일어난 원인과 그에 따른 [결과] 를 찾는다.

넷째, 요약한 사건이 잘 어우러지도록 [연결] 한다.

24

2 질문의 종류

이야기를 제대로 읽었는지를 확인하려면 질문을 만들어 묻고 답하는 것이 좋아요. 질문은 '왜', '만약', '어떻게' 등과 같은 말을 이용해서 만들 수 있어요.

4_일
월
일

🖊 빈칸에 알맞은 낱말을 [보기]에서 찾아 쓰고, 그와 알맞은 질문들을 연결해 보세요. (2개씩)

보기

사실   추론   평가

도움말 ▲ 이야기에 직접 드러난 내용은 '사실 질문', 미루어 짐작해야 하는 것은 '추론 질문'이라고 이해할 수 있으면 돼요.

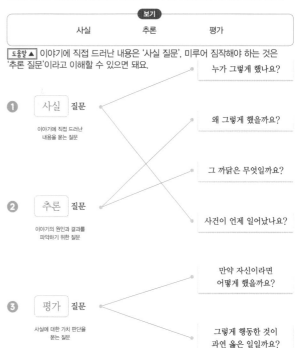

① [사실] 질문
이야기에 직접 드러난 내용을 묻는 질문

② [추론] 질문
이야기의 원인과 결과를 파악하기 위한 질문

③ [평가] 질문
사실에 대한 가치 판단을 묻는 질문

- 누가 그렇게 했나요?
- 왜 그렇게 했을까요?
- 그 까닭은 무엇일까요?
- 사건이 언제 일어났나요?
- 만약 자신이라면 어떻게 했을까요?
- 그렇게 행동한 것이 과연 옳은 일일까요?

25

3 주제별 어휘 태양계

태양계는 태양을 비롯하여 태양 주위를 도는 별과 이들이 차지하는 공간이에요. 태양계에 존재하는 대표적인 행성들은 수성, 금성, 지구 등 여덟 개가 있어요.
도움말 ▲ 명왕성은 태양계의 아홉 번째 행성으로 알려졌으나, 최근에 행성 자격에 들어맞지 않아 제외되었어요.

🖊 다음 설명에 알맞은 낱말을 그림에서 찾아 써 보세요.

① 태양계 여덟 행성 중 태양에 가장 가까이 있는 행성 ➡ [수성]

② 지구에서 가장 밝게 보이며, 태양계 여덟 행성 중 태양에 두 번째로 가까운 행성 ➡ [금성]

③ 인류가 살고 있는 땅덩어리로, 태양계 여덟 행성 중 태양에 세 번째로 가까운 행성 ➡ [지구]

④ 태양계 여덟 행성 중 가장 크며, 태양에 다섯 번째로 가까운 행성 ➡ [목성]

⑤ 주위에 여러 개의 고리가 있으며, 태양계 여덟 행성 중 두 번째로 큰 행성 ➡ [토성]

⑥ 84년을 주기로 태양을 돌며, 태양계 여덟 행성 중 태양에 일곱 번째로 가까운 행성 ➡ [천왕성]

도움말 ▲ 태양계 여덟 행성을 '수-금-지-화-목-토-천-해'와 같이 외워 두세요.

26

4 상태를 나타내는 말 아늑하다

'아늑하다'는 '따뜻하고 포근한 느낌'을 나타내는 말이에요. 이와 같이 성질이나 상태를 나타내는 말을 '형용사'라고 해요.

4_일
월
일

도움말 ▲ 동사와 형용사는 쓰임에 따라 형태(꼴)가 변하는 활용을 해요.

🖊 밑줄 친 말과 바꿔 쓸 수 있는 낱말을 [보기]에서 찾아 써 보세요.

보기

| 괴상하다 | 섬뜩하다 | 아늑하다 | 허름하다 |
| 흉측하다 | 희멀겋다 | 으스스하다 | 뿌유스레하다 |

① 아침에 먹은 뭇국은 하얗고 매우 묽다. ➡ [희멀겋다]

② 이 집은 지은 지 20년이 넘어 좀 헌 듯하다. ➡ [허름하다]

③ 범인의 웃음은 보기에 언짢을 만큼 고약하다. ➡ [흉측하다]

④ 안경에 김이 서려 뚜렷하지 못하고 약간 부옇다. ➡ [뿌유스레하다]

⑤ 찬 새벽 바람이 몸에 닿아 소름 돋는 느낌이 있다. ➡ [으스스하다]

⑥ 외계인의 모습은 사람과 달라서 신기하고 이상하다. ➡ [괴상하다]

⑦ 누군가 뒤따라오는 소리에 소름이 끼치도록 끔찍하다. ➡ [섬뜩하다]

⑧ 그 마을은 산으로 둘러싸여 따뜻하고 포근한 느낌이 있다. ➡ [아늑하다]

27

5 자주 쓰는 말 쥐구멍을 찾다

🖉 빈칸에 알맞은 말을 [보기]에서 찾아 문장에 어울리도록 활용하여 써 보세요.

보기

그늘이 지다	앞뒤가 막히다	장단을 맞추다	정신을 차리다
쥐구멍을 찾다	코웃음을 치다	머리를 조아리다	

❶ <u>정신을 차리고</u> 보니 모든 게 꿈이었다.
　　잃었던 의식을 되찾고

　　도움말▲ 다음 표현들이 나타내는 모습을 떠올리며
　　그 의미를 숙지하면 이해하는 데 도움이 돼요.

❷ 그는 걱정거리가 있는지 얼굴에 <u>그늘이 졌다</u>.
　　　　　　　　　　　마음이 편하지 않아 얼굴이 맑지 못했다.

❸ 거짓이 들통나자 <u>쥐구멍을 찾아</u> 들어가고 싶었다.
　　　　　　　　부끄럽고 난처하여 어디라도 숨어

❹ 화가 난 친구는 내 부탁에 <u>코웃음을 치며</u> 거절했다.
　　　　　　　　　　　갈보고 비웃으며

❺ 분위기가 어색하지 않게 친구들의 말에 <u>장단을 맞췄다</u>.
　　도움말▲ '장단을 맞추다'라는 말은　남의 기분을 맞추기 위해 행동했다.
　　'상대의 생각에 동의하며 흥을 띄우다.'라는 뜻으로도 쓰여요.

❻ 옆집 아저씨는 남의 얘기는 들을 줄 모르는 <u>앞뒤가 막힌</u> 사람이다.
　　　　　　　　　　　　　　　　　융통성이 없고 답답한

❼ 반장은 우리들 앞에서 소리를 지르더니 선생님 앞에서는 <u>머리를 조아렸다</u>.
　　　　　　　　　　　　　　　　　강하게 복종하듯 공손한 태도를 나타냈다.

28

---

6 바꿔 쓸 수 있는 말 수명

🖉 밑줄 친 낱말과 바꿔 쓸 수 있는 낱말에 ○표 하세요.

❶ 키우던 강아지가 <u>수명</u>을 다했다.　⇨　(목숨)　최선
　　살아 있는 기간. 나이

❷ 대관령 목장에 양 <u>떼</u>가 가득하다.　⇨　먹이　(무리)

❸ 늦잠을 자서 엄마에게 <u>핀잔</u>을 들었다.　⇨　(꾸중)　변명
　　언짢게 꾸짖거나 비꼬아 꾸짖는 것

　　도움말▼ 공양미는 '부처에게 바치는 쌀'을 말해요.
❹ 심청은 공양미 삼백 <u>석</u>에 몸을 팔았다.　⇨　되　(섬)
　　곡식의 양을 세는 말. 한 석은 한 말의 열 배
　　　도움말▲ '한 섬(석)'은 쌀로는 144kg,
　　　보리로는 138kg 정도예요.

❺ 훌륭한 임금은 <u>만인</u>에게 은혜를 베푼다.　⇨　천민　(만백성)
　　모든 사람

❻ 주요 시설에는 곳곳을 감시하는 <u>보초</u>들이 많다.　⇨　(경계병)　군사
　　경비를 서는 일. 또는 그 사람

❼ 가뭄에 온 동네가 굶어 죽는다고 <u>아우성</u>이었다.　⇨　(소란)　엄살
　　여럿이 외치거나
　　악을 쓰며 떠드는 소리

29

---

7 잘못 쓰기 쉬운 말 1 해코지

🖉 다음 문장에 알맞은 낱말을 찾아 ○표 하세요.

❶ 나를 부르는 소리에 ((흠짓)/ 흠칫) 놀랐다.
　　　몸을 움츠리며 갑작스럽게 놀라는 모양

❷ 그 조각상은 (언듯 /(언뜻)) 보면 진짜 사람 같았다.
　　　우연히 잠깐. 얼핏

❸ 범인의 (해꼬지 /(해코지))가 두려워 신고를 못 했다.
　　　남을 해치고자 하는 짓

❹ (페지 /(폐지))는 분리수거를 잘 하면 재활용하여 쓸 수 있다.

❺ 그는 가진 돈을 다 써 버리고 ((빈털터리)/ 빈털털이)가 되었다.
　　도움말▲ '빈털터리'는 '털터리'라고도 써요. 이와 달리 '털털이'는
　　성격이 까다롭지 아니한 사람을 이르는 다른 말이에요.

❻ 돈을 빌려 간 사실이 없는 것처럼 ((시치미)/ 시침이)를 뚝 뗐다.
　　　자기가 하고도 아니한 체. 알고도 모르는 체하는 태도

❼ 바닥에 떨어진 과자 ((부스러기)/ 뿌스러기)를 보고 청소를 했다.

❽ 아버지는 집으로 돌아오시면서 선물 ((꾸러미)/ 꾸럼이)를 들고 오셨다.
　　　꾸리어 싼 물건

30

---

8 잘못 쓰기 쉬운 말 2 -이, -히

'-이'나 '-히'로 끝나는 말 중에서 끝 글자를 '-이'로 적어야 하는지, '-히'로 적어야 하는지 헷갈릴 때에는 다음 기본적인 규칙을 외워 두도록 해요.

'-이'로 쓸 때
　① 반복되는 말의 경우: 간간이, 겹겹이, 곳곳이…
　② '-하다'가 붙을 수 없는 경우: 같이, 굳이, 깊이…
　③ 'ㅅ' 받침 뒤: 기웃이, 나긋이…
　④ 홀로 쓰이는 말 뒤: 곰곰이, 더욱이, 생긋이…

도움말▲ 위 조건으로 '-이'와 '-히'를 모두 구분하는 것은 한계가 있어요.
자주 쓰는 표현들만이라도 위 조건을 통해 외워 두도록 해요.

🖉 밑줄 친 부분에 '이'나 '히'를 넣어 문장에 알맞은 낱말을 써 보세요.

❶ 이 돈으로는 변변<u>?</u> 사 먹을 것이 없다.　⇨　변변히
　　모자람 없이 충분하게

❷ 강낭콩이 자라는 것을 자세<u>?</u> 관찰했다.　⇨　자세히

❸ 문제를 해결할 방안을 곰곰<u>?</u> 생각했다.　⇨　곰곰이
　　생각을 여러모로 깊이

❹ 차가 올 때까지 시간이 남아 느긋<u>?</u> 기다렸다.　⇨　느긋이
　　여유 있고 넉넉한 태도로

❺ 제안에 선뜻<u>?</u> 동의하는 것이 내키지 않았다.　⇨　선뜻이
　　어려움 없이 금방. 쉽게

❻ 할머니는 그릇에 간식을 그득<u>?</u> 담아 주셨다.　⇨　그득히
　　꽉 차게

❼ 뒷산에는 올해도 여전<u>?</u> 진달래가 필 것이다.　⇨　여전히

❽ 신부는 신랑이 오기만을 다소곳<u>?</u> 기다렸다.　⇨　다소곳이
　　얌전하고 온순하게

31

흉내 내는 말 아슴아슴

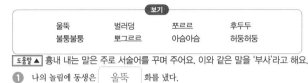

빈칸에 알맞은 낱말을 [보기]에서 찾아 써 보세요.

보기

울뚝	벌러덩	쪼르르	후두두
불퉁불퉁	뿌그르르	아슴아슴	허둥허둥

도움말 ▲ 흉내 내는 말은 주로 서술어를 꾸며 주어요. 이와 같은 말을 '부사'라고 해요.

❶ 나의 놀림에 동생은 │울뚝│ 화를 냈다.
성질이 급하여 말이나 행동이 드센 모양

❷ 다급한 마음에 │허둥허둥│ 옷을 주워 입었다.
어찌할 줄 모르고 다급하게 서두르는 모양

❸ 병아리들이 어미 닭의 뒤를 │쪼르르│ 쫓아다닌다.
작은 발걸음을 빠르게 움직여 걷거나 따라다니는 모양

❹ 날이 어두워지더니, 빗방울이 │후두두│ 떨어졌다.
빗방울이나 작은 돌이 갑자기 떨어지는 소리나 모양

도움말 ▲ '쪼르르'는 물줄기가 빠르게 흘러내리는 모양을 나타낼 때에도 쓰여요.

❺ 저녁 식탁에 올릴 김치찌개가 │뿌그르르│ 잘도 끓는다.
적은 양의 액체가 빠르게 끓어오르는 모양

❻ 어릴 적 내가 살던 고향의 모습이 │아슴아슴│ 떠올랐다.
정신이 흐릿하고 몽롱한 모양

❼ 그는 집으로 돌아오자마자 │벌러덩│ 자리에 누워 버렸다.
팔을 활짝 벌린 채 자빠지거나 눕는 모양

❽ 지난 삶이 말해 주듯, 할머니의 손은 뼈마디가 │불퉁불퉁│ 튀어나와 있다.
여기저기 툭툭 불거져 있는 모양

낱말 퀴즈

빈칸에 알맞은 낱말을 주어진 글자 카드로 만들어 써 보세요.

아	나	낙	선	적	졸

❶ 동네 │아낙│ 이 개울가에서 빨래를 하고 있다.
남의 집 결혼한 여자를 이르는 말

도움말 ▲ '아낙'에 '같은 처지의 사람'의 뜻을 더하는 말이 붙어 '아낙네'라고 쓰기도 해요.

❷ 고을 원님이 │나졸│ 을 거느리고 순찰을 나섰다.
조선 시대, 낮은 계급의 병사

❸ 그는 추운 겨울이면 불우한 이웃에게 │적선│ 을 베푼다.
착한 일을 많이 함.

주어진 뜻을 참고하여 빈칸에 알맞은 글자를 써 보세요.

❶ ㉠ 짙은 푸른 빛
㉡ 얼굴의 빛깔. 얼굴색

❷ ㉢ 눈썹 아랫부분과 눈꺼풀
㉣ 사물이나 마음의 한구석이나 부분

타교과 어휘 과학

빈칸에 알맞은 낱말을 써서 문장을 완성해 보세요.

❶ 건축가는 집을 짓기 전에 건물 │모│형│ 을 만들었다.
실물을 모방하여 만든 물건

❷ 설문 조사를 할 때에는 │표│본│ 집단을 신중하게 정할 필요가 있다.
본보기나 표준이 될 만한 것

❸ 김치, 치즈, 빵과 같은 음식들은 │발│효│ 과정을 거쳐서 만들어진다.
미생물의 작용으로 유기물이 화학적으로 변하는 현상

도움말 ▲ 빵, 치즈, 술, 김치, 된장, 요구르트 등이 발효 식품에 속해요.

❹ 그 과학자는 자신의 이론을 뒷받침하는 몇 가지 │가│설│ 을 제시했다.
자연이나 사물의 현상에 대해 임시로 낸 결론

❺ 문제를 해결하기 위해 회의를 계속했지만 결론을 │도│출│ 하지는 못했다.
판단이나 결론을 이끌어 냄.

❻ 빵을 숙성시킬 때 잘 부풀어 오르게 하기 위해서는 │효│모│ 를 넣어야 한다.
술이나 빵을 만드는 데 널리 쓰이는 균

❼ 실험을 할 때에는 결과에 영향을 주는 여러 가지 │변│인│ 을 통제할 수 있어야 한다.
성질, 모습, 상태 등이 변하게 하는 원인

주어진 뜻에 알맞은 낱말을 박스 안에서 찾아 써 보세요.

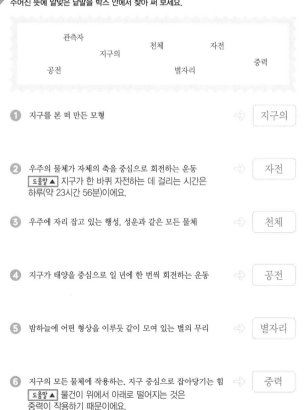

관측자		
	천체	자전
	지구의	
공전		중력
	별자리	

❶ 지구를 본 떠 만든 모형 ⇨ │지구의│

❷ 우주의 물체가 자체의 축을 중심으로 회전하는 운동 ⇨ │자전│
도움말 ▲ 지구가 한 바퀴 자전하는 데 걸리는 시간은 하루(약 23시간 56분)이에요.

❸ 우주에 자리 잡고 있는 행성, 성운과 같은 모든 물체 ⇨ │천체│

❹ 지구가 태양을 중심으로 일 년에 한 번씩 회전하는 운동 ⇨ │공전│

❺ 밤하늘에 어떤 형상을 이루듯 같이 모여 있는 별의 무리 ⇨ │별자리│

❻ 지구의 모든 물체에 작용하는, 지구 중심으로 잡아당기는 힘 ⇨ │중력│
도움말 ▲ 물건이 위에서 아래로 떨어지는 것은 중력이 작용하기 때문이에요.

❼ 우주의 물체나 날씨의 상태, 변화 따위를 관찰하고 측정하는 사람 ⇨ │관측자│

3장 짜임새 있게 구성해요

📖 국어 교과서 94~117쪽

1 발표하기

발표는 어떤 사실이나 결과를 세상에 널리 드러내어 알릴 때에 쓰는 말하기 방법이에요. 여러 사람 앞에서 말하는 방법이므로 몇 가지 주의해야 할 점들이 있어요.

✏️ 다음은 발표의 준비 과정이에요. 빈칸에 알맞은 낱말을 [보기]에서 찾아 써 보세요.

보기

> 매체   복잡   정리   조정   출처   화제

[도움말 ▲] 발표는 내용을 전달하는 데 목적이 있으므로, 매체 자료를 잘 선택해야 해요.

첫째, 듣는 이가 관심을 가질 만한 **화제** 를 선택한다.
  이야깃거리

둘째, 내용을 효과적으로 전달할 수 있는 **매체** 자료를 선택한다.
  어떤 정보를 널리 전달하는 수단

셋째, 자료는 너무 길거나 **복잡** 하지 않은 내용으로 준비한다.
  여럿이 겹치고 뒤섞임.

넷째, 자료를 활용할 때에는 자료를 가져온 **출처** 를 꼭 밝힌다.
  사물이나 말 따위가 생기거나 나온 근거

다섯째, 듣는 이가 이해하는지를 살피며 말하는 방법을 **조정** 한다.
  어떤 기준에 알맞게 맞추는 것

여섯째, 끝맺는 말에는 발표한 내용을 간단하게 **정리** 한다.
  어지러운 것은 가지런히 바르게 하는 것

38

2 주제별 어휘 1 매체, 자료

우리가 정보를 전달할 때에 사용하는 수단을 '매체'라고 해요. '도표', '사진', '동영상'과 같은 자료들도 '매체'의 한 종류로 볼 수 있지요.

✏️ 다음은 매체를 구분한 것입니다. 빈칸에 알맞은 낱말을 써 보세요.

| | 인 쇄 매체 | ⇨ | 신문, 잡지, 책 등 |

글, 그림, 사진 등을 종이에 그대로 찍는 매체

매체 — 방 송 매체 ⇨ 라디오, 텔레비전 등

전파를 통해 소리나 그림을 사람들에게 전달하는 매체

통 신 매체 ⇨ 컴퓨터, 무전기, 전화기 등

주파수를 이용해 정보나 의사를 주고받는 매체

[도움말 ▲] 방송 매체 역시 통신 매체의 한 형태이지만, 일반적으로는 두 매체를 구분해서 일컬어요.

✏️ 다음 매체 자료의 특성으로 가장 알맞은 것을 찾아 연결하세요.

❶ 도표 ●———————● 수량의 변화 정도나 수치를 뚜렷하게 나타낼 수 있다.

❷ 사진 ●   ● 음악이나 자막을 넣어 분위기를 잘 전달할 수 있다.

❸ 동영상 ●   ● 대상의 실제 모습을 한눈에 보여 줄 수 있다.

[도움말 ▲] 대상의 실제 모습을 한눈에 보여 주는 데에는 동영상보다는 사진이 좀 더 효과적이에요.

39

3 주제별 어휘 2 직업

사라진 직업과 새로 생겨난 직업을 살펴보면 우리 사회의 변화상을 짐작해 볼 수 있어요.

✏️ 다음 그림이 설명하는 직업이 무엇인지 써 보세요.

사라진 직업	생겨난 직업
 **보 부 상** 봇짐이나 등짐을 메고 물건을 파는 사람	 **큐 레 이 터** 미술관에서 작품 관리, 전시회 기획 등의 일을 담당하는 사람
 **전 화 교 환 원** 전화 신청을 접수 받아 전화를 교환·접속해 주는 일을 하는 사람	 **프 로 그 래 머** 컴퓨터 프로그램을 만드는 사람
 **버 스 안 내 원** 버스에서 승객을 타고 내리는 일을 관리하는 사람	 **사 회 복 지 사** 사회적으로 보살핌이 필요한 사람들을 전문적으로 도와주는 사람

[도움말 ▲] 요즘 단말기 시스템이 없던 시절, 안내원이 직접 승객의 승하차를 관리했어요.

40

4 주제별 어휘 3 선거

선거는 민주주의를 실현하는 가장 기본적인 방법이에요. 선거를 통해 우리의 뜻을 대신 전달할 대표자를 뽑게 되지요.

✏️ 다음은 각 지역의 일꾼을 뽑는 선거 절차입니다. 빈칸에 알맞은 낱말을 써 보세요.

❶ 선거 관리 위원회가 선거 **일 정** 을 공지합니다.
  정해진 기간 동안 해야 할 일이나 짜 놓은 계획

  [도움말 ▲] 선거 관리 위원회는 선거와 국민투표의 공정한 관리를 위해 만든 헌법 기관이에요.

❷ 후보자는 추천장과 등록 신청서를 제출함으로써 **출 마** 를 선언합니다.
  선거에 후보자로 나서는 것

❸ 후보자가 선거 운동을 하며 **공 약** 을 밝힙니다.
  선거의 후보자가 모든 사람에게 약속하는 것

❹ **유 권 자** 는 선거일에 정해진 장소에서 소중한 한 표를 행사합니다.
  선거할 권리를 가진 사람

  [도움말 ▲] 선거에 출마한 사람을 '후보자', 투표하는 사람을 '유권자'라고 해요.

❺ 투표한 용지를 모아 **개 표** 하고, 결과를 정리하여 발표합니다.
  투표함을 열고 투표의 결과를 알아보는 것

❻ 발표 결과를 토대로 **당 선 자** 를 확정합니다.
  선거에서 뽑힌 사람

41

5 뜻이 반대인 말 비(非)-, 불(不)-

낱말의 앞에 '비-'나 '불-'을 덧붙여 반대말을 만들 수 있어요. 그런데 '비-'가 붙을 수 있는 말과 '불-'이 붙을 수 있는 말이 정해져 있으므로 주의해야 해요.

가능 ↔ **불가능**
비가능(×)

공식 ↔ **비공식**
불공식(×)

도움말▲ '불균형, 비균형', '불협조, 비협조'와 같이 '비-'나 '불-'이 모두 쓰일 수 있는 낱말들도 있어요.

✎ 밑줄 친 낱말을 반대말로 고쳐 문장을 완성하려고 해요. 알맞은 낱말을 찾아 ○표 하세요.

① 마음만 먹으면 가능이란 없다. ⇨ (불가능) 비가능

② 이 시스템은 오류가 많아 완전하다. ⇨ (불완전) 비완전

③ 각국의 장관들이 모여 공식 회담을 열었다. ⇨ 불공식 (비공식)
국가나 공공 기관에서 정한 방식이나 형식

④ 그는 교통사고로 전국 대회 출전이 투명하다. ⇨ (불투명) 비투명

⑤ 그녀가 탈락한 것은 규칙이 공정했기 때문이다. ⇨ (불공정) 비공정
공평하고 올바름.

⑥ 그 작품은 현실적 소소를 감각적으로 그려 냈다. ⇨ 불현실 (비현실)

⑦ 위생적인 음식을 먹으면 식중독에 걸릴 수 있다. ⇨ 불위생 (비위생)

42

---

6 뜻을 더하는 말 1 -권(權)

'-권(權)'은 '권리' 또는 '권한'의 의미를 더해 주는 말이에요.

권(權) → 저작권, 사법권, 참정권, 소유권 등
권리, 권한

✎ 밑줄 친 낱말의 알맞은 뜻을 찾아 번호를 써 보세요.

① 사법권은 법원에 속해 있다. (②)
　① 국민의 도덕성을 심판하는 권한
　② 어떤 일을 일정한 법에 따라 판단하는 권한
　도움말▲ 도덕은 개인의 양심적 판단에 따라 선악을 구분하는 자율적 규범이에요.

② 우리나라는 국민의 평등권을 보장한다. (①)
　① 모든 면에서 차별받지 않을 권리
　② 국가에 의하여 자유를 제한받지 아니하는 권리
　도움말▲ ②는 '자유권'을 가리키는 말이에요.

③ 시민들은 참정권을 얻기 위해 시위를 벌였다. (①)
　① 정치에 참여할 수 있는 권리
　② 권력을 마음대로 휘두를 수 있는 권리

④ 그 작가는 작품에 대한 저작권이 자신에게 있음을 밝혔다. (②)
　① 아무런 간섭을 받지 않고 작품을 만들 수 있는 권리
　② 작품을 지은 사람이 자기가 지은 것에 대해 가지는 권리

⑤ 이혼하는 부부들은 자녀의 양육권을 두고 소송을 하기도 한다. (②)
　① 아이의 진로를 정할 수 있는 권리
　② 아이를 보살피고 키울 수 있는 권리

⑥ 마을 사람들은 마을 중앙에 있는 우물에 대한 소유권을 주장했다. (①)
　① 가진 물건이나 재산에 대해 지배할 수 있는 권리
　② 가진 물건이나 재산을 싼 가격에 이용할 수 있는 권리

43

---

7 뜻을 더하는 말 2 -질

일반적으로 '동작이나 행동'을 가리키는 말로 쓰이는 '-질'은 부정적 뜻으로 사용되기도 해요.

-질 ┌ ① 동작이나 행동을 나타낼 때
　　├ ② 잘못된 행동을 나타낼 때
　　└ ③ 직업을 부정적으로 평가할 때

✎ 다음 낱말들을 포함하고 있는 뜻에 따라 나누어 써 보세요.

회장질			
	선생질	손가락질	부채질
	군것질	목수질	자랑질	바느질
걸레질		싸움질	도둑질	순사질

① 동작이나 행동을 나타냄. ⇨ 걸레질 군것질 바느질 부채질

도움말▲ '군것질'은 식사 외에 간식 등을 먹는 일을 뜻하는 말로, 부정적인 낱말이 아니에요.

② 잘못된 행동을 나타냄. ⇨ 도둑질 싸움질 손가락질 자랑질

③ 직업 등을 천하게나 부정적으로 나타냄. ⇨ 순사질 목수질 선생질 회장질

44

---

8 뜻을 더하는 말 3 -적(的)

'-적'은 다른 낱말의 뒤에 붙어 '그 성격을 띠는', '그에 관계된'의 뜻을 더하는 말이에요.

-적(的) → 도전적 / 자주적 / 사회적 / 창의적 / 효과적

도움말▲ '-적'은 일부 명사 뒤에 붙을 수 있어요.
무분별하게 사용하면 문장이 어색해질 수 있어요.

✎ 밑줄 친 낱말의 뜻풀이가 적절하도록 빈칸에 알맞은 낱말을 써 보세요.

① 사람은 사회적 동물이다.
　⇨ 무리 를 이루어 살려고 하는 성질을 지닌

② 이 일은 우리에게 주어진 도전적인 과제이다.
　⇨ 어려운 일에 용감 하게 뛰어드는

③ 발명가가 되려면 창의적인 사람이 되어야 한다.
　⇨ 없던 것을 처음 으로 생각해 내는

④ 단백질은 사람의 몸을 구성하는 핵심적 영양소이다.
　⇨ 가장 중심 이 되는

⑤ 물을 자주 섭취하는 것은 감기를 예방하는 효과적인 방법이다.
　⇨ 어떤 일을 하여 생기는 좋은 결과 가 있는

⑥ 이 그림을 그린 예술가는 세련되고 감각적인 인물임에 틀림없다.
　⇨ 감각이나 자극에 예민 한

45

9 낱말 퀴즈

✏️ 다음 빈칸에 알맞은 낱말을 써서 문장을 완성해 보세요.

❶ 사람은 누구나 교육을 받을 [권][리]가 있다.
   어떤 일을 자기 마음대로 할 수 있는 자격

❷ 그는 맡은 일을 해내기에는 [역][량]이 부족하다.
   어떤 일을 해낼 수 있는 힘과 능력
   도움말▲ '힘, 능력'을 나타내는 한자어는 '力(력)'이에요.
   낱말의 맨 앞에 올 때에는 '역'으로 써야 해요.

❸ 개미들이 [협][력]하여 열심히 먹이를 나르고 있다.
   힘을 합하여 서로 도움.

❹ 친구 간에는 서로 믿고 의지하는 [신][뢰]가 필요하다.
   속이지 않으리라고 믿는 것

❺ 대통령은 이번 일을 잘 마무리하겠다는 [의][지]를 보였다.
   어떠한 일을 이루고자 하는 마음

❻ 누가 잘못했는지는 법과 [원][칙]에 따라 심판받으면 될 일이다.
   어떤 행동이나 이론에서 지켜야 하는 기본적인 규칙이나 법칙

❼ [경][쟁][력]을 갖춘 기업만이 세계 시장에서 살아남을 수 있다.
   경쟁할 만한 힘. 또는 그런 능력

❽ 피카소가 그린 그림 중에는 [창][의][성]이 돋보이는 작품들이 많다.
   새로운 것을 생각해 내는 특성

46

✏️ 빈칸에 알맞은 낱말을 주어진 글자 카드로 만들어 써 보세요.

| 문 | 발 | 분 | 성 | 야 | 전 | 휘 |

❶ 프로 파일러는 범죄를 수사하는 일에 있어서 [전문성]을 갖고 있다.
   도움말▲ '프로 파일러'는 범행이 의심되는 전문적인 성질 또는 특성
   사람의 성격이나 행동을 분석하는 수사관을 말해요.

❷ 환경 문제를 해결하기 위해 여러 [분야]의 전문가들이 한자리에 모였다.
   사회 활동의 여러 갈래 중의 하나

❸ 그동안 쌓아 온 실력을 [발휘]하여 이번 시험에서 좋은 성적을 거둘 것이다.
   재능, 능력 따위를 펼쳐 나타냄.

| 계 | 발 | 부 | 술 | 심 | 자 | 학 |

❹ 그는 자신의 희생으로 나라를 구했다는 [자부심]을 갖고 있었다.
   스스로 자기의 가치나 능력을 믿고 당당히 여기는 마음

❺ 평소에 자기 [계발]을 한 사람은 기회가 왔을 때에 그것을 잡을 수 있다.
   슬기나 재능, 생각 따위를 일깨워 줌.
   도움말▲ '계발'은 지식, 재능과 같이 사람의 속성과 관련되어서만 사용 돼요.
   이에 반해 '개발'은 물질적인 것과 사람의 속성 모두에 사용할 수 있어요.

❻ 대학에서는 매년 연구에 대한 결과를 나누기 위해 [학술] 강연회를 연다.
   학문과 예술

47

---

10 [타교과 어휘] 도덕

✏️ 빈칸에 [보기]의 낱말을 넣어 문장을 완성해 보세요.

> **보기**
> 사교   의무   이기   자주   정신   헌신

❶ 부모는 대개 [헌][신]적으로 자식을 뒷바라지한다.
   몸과 마음을 바쳐 있는 힘을 다하는. 또는 그런 것
   도움말▲ '-적'이 붙을 수 있는 낱말은 한정되어 있어요.

❷ 국민은 벌어들인 수입에 대해 [의][무]적으로 세금을 낸다.
   마음이 어떻든 상관없이 해야만 하는. 또는 그런 것

❸ 현대인은 물질적으로는 풍족하지만 [정][신]적으로는 무척 가난하다.
   정신에 관계되는. 또는 그런 것
   도움말▲ '정신적'은 '물질적'과 서로 반대되는 뜻으로 자주 사용되는 낱말이에요.

❹ 요즘은 자신만 알고 남을 생각할 줄 모르는 [이][기]적인 학생들이 많다.
   자기 자신의 이익만을 피하는. 또는 그런 것

❺ 이번 학생 회장은 [사][교]적이어서 교내에서 친하지 않은 학생이 없다.
   여러 사람과 쉽게 잘 사귀는. 또는 그런 것

❻ 우리의 영토는 외세의 간섭을 받지 않고 [자][주]적으로 지킬 수 있어야 한다.
   남의 보호나 간섭을 받지 아니하고 자기 일을 스스로 처리하는.
   또는 그런 것

48

✏️ 사다리를 따라 합쳐질 수 있는 말을 확인하고, 그 뜻을 [보기]에서 찾아 기호로 써 보세요.

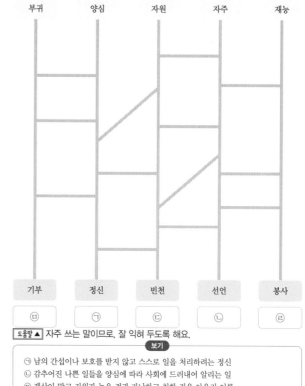

도움말▲ 자주 쓰는 말이므로, 잘 익혀 두도록 해요.

> **보기**
> ㉠ 남의 간섭이나 보호를 받지 않고 스스로 일을 처리하려는 정신
> ㉡ 감추어진 나쁜 일들을 양심에 따라 사회에 드러내어 알리는 일
> ㉢ 재산이 많고 지위가 높은 것과 가난하고 천한 것을 아울러 이름.
> ㉣ 어떤 일을 대가 없이 자발적으로 참여하여 도움. 또는 그런 활동
> ㉤ 자선 사업이나 공공사업을 돕기 위하여 개인의 재주와 능력을 대가 없이 내놓는 일

49

4장 주장과 근거를 판단해요

📖 국어 교과서 118~143쪽

1 논설문

논설문은 독자가 공감할 수 있도록 어떤 사실이나 현상, 가치 등에 대해 자신의 주장을 논리적으로 쓴 글을 말해요.

도움말 ▲ 논설문은 설득하는 글이에요. 논설문을 읽을 때는
주장을 파악하는 것이 가장 중요해요.

✏️ 다음은 논설문의 특징을 설명한 글입니다. 빈칸에 알맞은 낱말을 써 보세요.

논설문은 ❶ - 본론 - 결론'의 구성으로 이루어져 있습니다. 서론에서는 글을 쓴 문제 상황과 글쓴이의 주장을 밝힙니다. 본론에서는 글쓴이의 주장에 대한 ❷ 를 제시합니다. 결론에서는 전체 글의 내용을 ❸ 하거나 글쓴이의 주장을 강조하며 마무리합니다. 논설문을 쓸 때에는 자신의 견해나 관점을 정확하게 표현하는 것이 중요하므로, 의미가 분명하지 않은 ❹ 한 표현은 쓰지 않도록 합니다.

❶ 긴 글이나 말에서 본론으로 이끌어 가는 맨 앞의 부분 ⇨ 서 론

❷ 어떤 주장이나 의견이 옳음을 뒷받침하는 까닭 ⇨ 근 거

❸ 말이나 글에서 중요한 내용만 뽑아 간추린 것 ⇨ 요 약

❹ 말이나 태도 등이 분명하지 않음. ⇨ 모 호

52

2 쓰임을 바꾸는 말 -하다

어떤 낱말에 '-하다'가 붙으면 움직임이나 상태를 나타내는 말로 쓰여요.

도움말 ▲ 일부 명사에 '-하다'가 붙으면 동사가 돼요.

✏️ 빈칸에 알맞은 낱말을 [보기]에서 찾아 써 보세요.

10일
월
일

보기

| 감당 | 고유 | 복원 | 유래 | 유발 | 제시 | 탈바꿈 |

❶ 이 마을의 이름은 전설에서 **유래** 하였다.
사물이나 일이 생겨남.

❷ 움직이는 장난감은 아기의 흥미를 **유발** 한다.
어떤 것이 다른 일을 일어나게 함.

❸ 지진으로 파괴된 건물과 도로를 **복원** 하였다.
원래대로 회복함.

❹ 지은이는 서론에 글을 쓴 목적을 **제시** 하였다.
무엇을 하고자 하는 생각을 말이나 글로 나타내어 보임.

❺ 윷놀이는 우리 민족의 **고유** 한 전통 놀이이다.
오래된 집단이나 사물 등이 본래부터 지니고 있음.

❻ 공업 도시 울산이 자연과 공존하는 숲속 도시로 **탈바꿈** 하였다.
원래의 모양이나 형태를 바꿈.

❼ 이 제품은 가격이 비싸 초등학생의 용돈으로 **감당** 하기 어렵다.
일 따위를 맡아서 능히 해냄.

53

3 바꿔 쓸 수 있는 말 적용하다

✏️ 밑줄 친 낱말의 기본형을 쓰고, 바꿔 쓸 수 있는 낱말을 [보기]에서 찾아 써 보세요.

보기

| 넓다 | 퍼지다 | 간섭하다 | 위협하다 | 이용하다 | 이행하다 |

❶ 수학 공식을 적용하여 문제를 풀었다.
⇨ 적용하다 ≒ 이용하다
알맞게 이용하거나 맞추어 쓰다.

❷ 흉기로 행인을 협박한 범인이 체포되었다.
⇨ 협박하다 ≒ 위협하다
겁을 주며 남에게 억지로 어떤 일을 하도록 하다.

❸ 그의 집은 광활한 대지 위에 자리하고 있다.
⇨ 광활하다 ≒ 넓다
막힌 데가 없이 트이고 넓다.

❹ 나는 이번 방학에 세운 계획을 모두 실천할 예정이다.
⇨ 실천하다 ≒ 이행하다
생각한 바를 실제로 행하다.

❺ 남의 일에 지나치게 참견하는 것은 주제넘은 짓이다.
⇨ 참견하다 ≒ 간섭하다
관계없는 일이나 말에 끼어들어 이래라저래라 하다.

❻ 잡초는 그냥 두면 쉽게 번성하여 농작물에 해를 끼친다.
⇨ 번성하다 ≒ 퍼지다
한창 성하게 일어나 퍼지다.

도움말 ▲ 밑줄 친 부분을 바꿔 쓸 수 있는 낱말로
교체하여 읽어 볼 수 있도록 해요.

54

4 형태는 같은데 뜻이 다른 말 단정하다

도움말 ▲ 형태는 같은데 뜻이 다른 낱말을 '동형어'라고 해요. 실제로 전혀 다른 낱말이에요.

✏️ 빈칸에 공통으로 들어갈 낱말을 써 보세요.

10일
월
일

❶ 자 정
① 공부에 열심인 형은 보통 [   ]이 넘어서 들어온다.
밤 열두 시
② 건강한 자연은 어느 정도의 [   ] 능력을 갖추고 있다.
오염된 것이 저절로 깨끗해짐.

❷ 구 속
① 우리는 [   ]이 없는 자유로운 분위기에서 일한다.
행동이나 생각의 자유를 제한함.
② 투수는 [   ]만 빠르다고 인정받는 것은 아니다.
야구에서, 투수가 던지는 공의 속도

❸ 어 리 다
① 입가에 미소가 [   ].
은근히 드러나다.
② 사촌 동생은 나보다 두 살이 [   ].
나이가 적다.

❹ 단 정 하 다
① 그 신사의 옷차림은 매우 [   ].
옷차림, 몸가짐이 얌전하고 바르다.
② 증거를 찾은 형사가 범인을 [   ].
딱 잘라서 판단하고 결정하다.

55

5 뜻을 더하는 말 –성(性)

'–성(性)'은 '성질'의 의미를 더해 주는 말이에요.

성(性) → 우수성, 일관성, 논리성 등
성질

빈칸에 알맞은 낱말을 [보기]에서 찾아 써 보세요.

보기
우수성   일관성   논리성   인간성   적극성   정확성

① 그 시계는 초침이 느려 정확성 이 부족하다.
바르고 확실한 정도

② 어떤 일이든 처음 배울 때에는 적극성 이 필요하다.
긍정적이고 능동적으로 활동하는 성질

③ 국가 정책에 일관성 이 없으면 국민이 정부를 믿지 않는다.
처음부터 끝까지 한결같은 성질

④ 세계 곳곳에서 우리나라 사람들의 우수성 이 드러나고 있다.
여럿 가운데 뛰어난 성질

⑤ 주장하는 글은 설득이 목적이므로 논리성 을 갖추어야 한다.
논래(이치)에 맞는 성질

⑥ 이번 불우 이웃 돕기 행사를 통해 그 친구의 인간성 을 알게 되었다.
사람의 됨됨이

56

6 잘못 쓰기 쉬운 말 실증

다음 문장에서 알맞은 낱말을 찾아 ○표 하고, 바르게 써 보세요.

① 건물 벽에 담쟁이덩굴이 (얽혀/ 얼켜) 있다. ⇨ 얽혀

② 해녀가 바다에서 (멍개 /멍게)를 따고 있다. ⇨ 멍게

③ 사람들의 소리에 귀를 (기울이다/ 귀울이다). ⇨ 기울이다

④ 각종 쓰레기들로 지구가 몸살을 (알다 /앓다). ⇨ 앓다

⑤ 같은 장면을 계속 보니까 (실증 /싫증)이 난다. ⇨ 싫증

⑥ 며칠째 내리는 눈 때문에 산속에 (갇히다/ 가치다). ⇨ 갇히다
도움말▲ '갇히다'와 같이 행동을 당하는 말들은 주로 기본형에 '–이–, –하–, –리–, –기–'를 덧붙여 만들어요.

⑦ 무분별한 도시 개발로 자연을 (훼손하다 /훼손하다). ⇨ 훼손하다

57

7 낱말 퀴즈

빈칸에 알맞은 낱말을 써서 문장을 완성해 보세요.

① 봄에는 새로 돋는 각종 나 물 이 입맛을 돋운다.
사람이 먹을 수 있는 풀이나 나뭇잎 등

② 어떤 식물은 특정한 토 양 과 기후에서만 자란다.
지구를 덮고 있는 흙

③ 전라남도 영광의 특 산 물 로 굴비가 유명하다.
어떤 지역의 특별한 산물

④ 고구마를 먹을 때에는 동 치 미 국물이 제격이다.
겨울철 통무에 소금물을 붓고 담근 맑은 김치

⑤ 정부는 중금속 오염이 의심되는 어 패 류 의 수입을 금지했다.
물고기와 조개류를 함께 이르는 말

⑥ 정화 작업으로 주변의 생 태 계 가 원래의 모습으로 돌아왔다.
어느 환경에 사는 생물군과 관련된 모든 체계

⑦ 김치, 청국장 등 우리 고유의 음식들은 항 암 효과가 뛰어나다.
암세포의 증식을 억제하거나 암세포를 죽임.
도움말▲ '항(抗)'은 '겨루다'라는 의미를 가진 한자어예요.

⑧ 미세 먼지가 많은 날에는 해 독 작용을 하는 음식을 많이 섭취하세요.
몸 안에 들어간 독성 물질의 작용을 없앰.

58

8 끝말잇기

빈칸에 알맞은 낱말을 넣어 끝말잇기를 완성해 보세요.

| 김장 | 올해는 배추 농사가 잘되어 □□ 할 비용이 적게 들겠다. |

겨우내 먹기 위해 김치를 한꺼번에 많이 담그는 일

| 장 염 | 상한 음식을 먹고 나서 □□ 에 걸렸다. |

창자에 염증이 생겨 복통, 설사 같은 증상이 있는 병

| 염 장 | 식품을 □□ 하면 저장 기간을 늘릴 수 있다. |

소금에 절어 저장함.
도움말▲ 우리나라 사람들은 생선류를 염장해서 반찬으로 즐겨 먹어요.

| 장 마 | 지루한 □□ 가 그치더니 무더위가 찾아왔다. |

여름철에 계속해서 비가 내리는 현상

| 마 당 극 | 동네 사람들이 □□□ 을 보기 위해 둘러앉았다. |

동네 마당에서 하는, 주로 사회를 고발하는 내용의 연극

| 극 지 방 | □□□ 은 너무 추워 식물들이 잘 살지 못한다. |

남극 지방과 북극 지방

| 방 금 | □□ 하신 말씀을 다시 좀 해 주세요. |

바로 조금 전에

| 금 수 강 산 | 예로부터 우리나라는 경치가 아름다워 □□□□ 이라고 불리었다. |

아름다운 산천이라는 뜻으로,
우리나라의 산천을 비유하는 말

59

9 띄어쓰기 같다

'같다'가 앞말과 붙어서 하나의 낱말이 된 경우는 붙여 쓰고, 그 밖의 경우는 띄어 써야 해요.

똑같다 / 감쪽같다   **백옥✓같다 / 큰✓것✓같다**

도움말 ▲ 자주 쓰여 하나의 낱말이 된 표현들을 제외하고 '같다'는 띄어 쓴다고 기억해 두도록 해요.

✏️ 다음 문장을 주어진 횟수에 따라 바르게 띄어 써 보세요.

1 우리는태어난동네가서로같다. (4회)

우	리	는		태	어	난		동	네	가		서
로		같	다	.								

2 그집의식구들은목소리가똑같다. (4회)

그		집	의		식	구	들	은		목	소	리
가		똑	같	다	.							

3 종이로만든꽃이진짜같이감쪽같다. (4회)

종	이	로		만	든		꽃	이		진	짜	같
이		감	쪽	같	다	.						

도움말 ▲ '같이'가 '처럼'의 뜻을 가지고 있다면, 앞말과 붙여 써야 해요. '물이 얼음같이 차다.'

---

4 하늘을보니가을이느껴지는것같다. (5회)

하	늘	을		보	니		가	을	이		느	껴
지	는		것		같	다	.					

5 구름이많은것을보니비가올것같다. (7회)

구	름	이		많	은		것	을		보	니
비	가		올		것		같	다	.		

6 똑같은시험을보았는데성적이모두다르다. (5회)

똑	같	은		시	험	을		보	았	는	데
성	적	이		모	두		다	르	다	.	

7 어려운친구를도울줄아는그는마음이천사같다. (8회)

어	려	운		친	구	를		도	울		줄
아	는		그	는		마	음	이		천	사
같	다	.									

---

10 타교과 어휘 수학

✏️ 다음 설명에 알맞은 낱말을 써 보세요.

1 입체도형을 펼쳐서 평면에 나타낸 그림 ⇨ | 전 | 개 | 도 |

2 입체도형의 모양을 잘 알 수 있게 실선과 점선으로 나타낸 그림 ⇨ | 겨 | 냥 | 도 |

✏️ 다음 설명에 알맞은 낱말을 쓰고, 그에 어울리는 도형을 [보기]에서 찾아 기호를 써 보세요.

보기

ⓐ ⓑ ⓒ ⓓ ⓔ ⓕ

1 밑면이 원이고, 옆면이 곡면인 뿔 모양의 입체도형 ⇨ | 원 | 뿔 | / ㉡
도움말 ▲ 뜻을 외우기보다는 도형을 이르는 말과 그 모양을 매칭해서 기억하는 것이 중요해요.

2 밑면이 다각형이고, 옆면이 삼각형인 뿔 모양의 입체도형 ⇨ | 각 | 뿔 | / ㉢

3 위아래의 면이 서로 평행이고 합동인 원으로 된 입체도형 ⇨ | 원 | 기 | 둥 | / ㉡

4 위아래의 면이 서로 평행하고 합동인 다각형으로 된 입체도형 ⇨ | 각 | 기 | 둥 | / ㉣, ㉤, ㉥

✏️ 밑줄 친 낱말의 알맞은 뜻을 찾아 번호를 써 보세요.

1 공공요금이 지난해와 같은 비율로 올랐다. (②)
　① 한쪽의 양이나 수에서 다른 쪽의 양이나 수를 뺀 값
　② 한 수를 기준으로 일정하게 늘이거나 줄여서 나타낸 수

2 우리 학교 남학생과 여학생의 비는 5 : 4이다. (②)
　① 두 대상의 무게 차이
　② 한 수나 양이 다른 것의 몇 배가 되는지를 보여 주는 관계

3 우리 반 학생들의 평균 키는 160 센티미터이다. (②)
　① 여러 수를 모두 합한 것
　② 여러 수의 합을 그 여럿으로 나눈 결과

4 직육면체의 부피는 밑변의 넓이와 높이를 곱하면 구할 수 있다. (②)
　① 물체 겉면의 넓이
　② 입체가 차지하는 공간의 크기
　도움말 ▲ ①은 '겉넓이'의 뜻이에요.

5 날씨에 따른 온도 변화를 측정한 학생들은 결과를 그래프로 나타내었다. (①)
　① 변화를 한눈에 알아볼 수 있도록 나타낸 직선이나 곡선
　② 여러 가지 일을 그림으로 그리거나 사진을 찍어 발행한 인쇄물

1 속담

'속담'은 옛부터 전해 오는 말로, 대개 문장의 형태로 표현되고 삶의 교훈을 전달하는 내용을 담고 있어요. 비유적으로 깊은 뜻을 담고 있는 특징을 가지고 있어요.

✏️ 다음은 속담 대한 설명입니다. 빈칸에 알맞은 낱말을 [보기]에서 찾아 써 보세요.

> **보기**
>
> 격언   민간   해학   효과

속담은 옛날부터 **①** 에 전해 오는 쉬운 **②** 이나 잠언으로 우리 민족의 지혜와 **③** , 생활 방식과 교훈이 담겨 있는 말입니다. 속담을 익히고 사용하면 자신의 생각을 쉽고 **④** 적으로 전달할 수 있습니다.

• 잠언 : 가르쳐서 훈계하는 말

① 일반 백성들 사이 ⇨ 민간

② 인생에 대한 교훈이나 경계를 짧게 표현한 글 ⇨ 격언

③ 익살스럽고도 품위가 있는 말이나 행동 ⇨ 해학

④ 어떤 일을 해서 생기는 좋은 결과 ⇨ 효과

66

2 협동과 관련한 속담

✏️ 다음은 협력의 중요성에 관한 속담들입니다. 빈칸에 알맞은 낱말을 써 보세요.

① 외 손 뼉 이 소리 날까.
한쪽 손바닥
도움말 ▲ 속담이 묘사하는 내용을 머릿속에 그려 보면, 그 뜻을 쉽게 이해할 수 있어요.

② 백 지 장 도 맞들면 낫다.
흰 종이 낱장

③ 종이도 네 귀 를 들어야 바르다.
네모진 물건의 모서리

④ 두 손뼉이 맞아야 소 리 가 난다.

⑤ 열의 한 술 밥이 한 그릇 푼 푼 하 다 .
모자람이 없이 넉넉하다.
도움말 ▲ 열 사람이 한 술씩 보태서 밥 한 그릇을 만든다는 뜻이에요.

⑥ 구 두 장 이 셋이 모이면 제갈량보다 낫다.
구두를 만드는 일을 직업으로 하는 사람
도움말 ▲ '제갈량'은 중국 삼국 시대 촉한(蜀漢)의 뛰어난 전략가로, 삼국지 주요 인물 중 하나예요.

⑦ 세 사 람 만 우겨 대면 없는 호랑이도 만들어 낼 수 있다.

67

3 동물과 관련한 속담

✏️ 빈칸에 들어갈 알맞은 동물을 찾아 연결하고, 속담을 완성해 보세요.

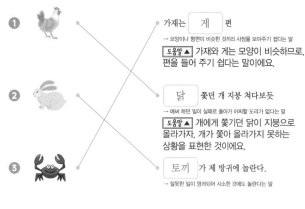

① 가재는 게 편
→ 모양이나 형편이 비슷한 것끼리 사정을 보아주기 쉽다는 말
도움말 ▲ 가재와 게는 모양이 비슷하므로, 편을 들어 주기 쉽다는 말이에요.

② 닭 쫓던 개 지붕 쳐다보듯
→ 애써 하던 일이 실패로 돌아가 어찌할 도리가 없다는 말
도움말 ▲ 개에게 쫓기던 닭이 지붕으로 올라가자, 개가 쫓아 올라가지 못하는 상황을 표현한 것이에요.

③ 토끼 가 제 방귀에 놀란다.
→ 잘못한 일이 염려되어 사소한 것에도 놀란다는 말

④ 원숭이 도 나무에서 떨어진다.
→ 아무리 익숙하고 잘하는 사람도 실수할 수 있다는 말

⑤ 닭 잡아먹고 오리 발 내놓기
→ 잘못을 저지르고 엉뚱하게 속여 넘기려는 상황을 이르는 말

⑥ 소 잃고 외양간 고친다.
→ 일이 잘못되어 손을 쓰기에는 이미 늦은 상황을 이르는 말

68

⑦ 까마귀 고기를 먹었나.
→ 잊어버리기를 잘하는 사람을 놀리는 말
도움말 ▲ 색깔이 까만 까마귀는 까맣게 잘 잊어버리는 사람을 비유하는 말로 쓰여요.

⑧ 개천에서 용 난다.
→ 변변치 못한 환경에서 훌륭한 인물이 나는 경우를 이르는 말

⑨ 호랑이 도 제 말 하면 온다.
→ 자리에 없는 사람 이야기를 하는데 그 사람이 나타나는 경우를 이르는 말

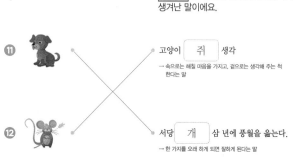

⑩ 돼지 꼬리 잡고 순대 달란다.
→ 무슨 일이든 단계와 순서가 있는데 성급하게 요구를 한다는 말
도움말 ▲ 순대는 돼지로 만드는 음식이라서, 생겨난 말이에요.

⑪ 고양이 쥐 생각
→ 속으로는 해칠 마음을 가지고, 겉으로는 생각해 주는 척 한다는 말

⑫ 서당 개 삼 년에 풍월을 읊는다.
→ 한 가지를 오래 하게 되면 잘하게 된다는 말

69

4 말과 관련한 속담

빈칸에 알맞은 낱말을 [보기]에서 찾아 넣어 속담을 완성해 보세요.

보기

빚   떡   발   말   씨   입   해

❶ 말이 **씨** 가 된다.
→ 말하던 것이 마침내 사실대로 되었을 때를 이르는 말

❷ **발** 없는 말이 천 리 간다.
→ 뱉은 말은 순식간에 퍼진다는 뜻으로 말을 삼가야 한다는 말

❸ 말이 많으면 쓸 **말** 이 적다.
→ 하지 않아도 될 말을 늘어놓으면 막상 쓸 말이 적어진다는 뜻으로 말을 삼가야 함을 이름.

❹ 아 해 다르고 어 **해** 다르다.
→ 같은 말이라도 어떻게 하느냐에 따라 달리 들릴 수 있다는 말

❺ 말 한마디에 천 냥 **빚** 도 갚는다.
→ 말만 잘하면 어려운 일도 해결할 수 있다는 말

❻ **입** 은 비뚤어져도 말은 바로 해라.
→ 상황이 어떠하든지 말은 언제나 바르게 해야 함을 이르는 말
도움말▲ 어떠한 상황에서도 진실 되게 말해야 한다는 의미로 쓰여요.

❼ 부모 말을 들으면 자다가도 **떡** 이 생긴다.
→ 부모 말을 잘 듣고 순종하면 좋은 일이 생긴다는 말

70

주어진 뜻에 가장 알맞은 속담을 찾아 그 기호를 써 보세요.

㉠ 웃느라 한 말에 초상난다.   ㉡ 말이 말을 만든다.
㉢ 말 많은 집은 장맛도 쓰다.
㉣ 살은 쏘고 주워도 말은   ㉤ 가루는 칠수록 고와지고 말은
하고 못 줍는다.   할수록 거칠어진다.
㉥ 정들었다고 정말 말라.

도움말▲ ㉥에서 '정말'은 '바른말, 참말' 등의 의미로 쓰인 말이에요.

❶ 농담으로 한 말이 깊은 상처를 줄 수 있다.   (㉠)

❷ 집안에 잔말이 많으면 살림이나 모든 일이 잘 안 된다.   (㉢)

❸ 말은 하면 할수록 오해가 생기고 싸움으로 번질 수 있다.   (㉤)

❹ 말은 하고 나면 다시 바꿀 수 없으므로 신중하게 말해야 한다.   (㉣)

❺ 가깝고 다정한 사이라도 해서는 안 될 말은 나누지 말아야 한다.   (㉥)

❻ 말은 사람의 입을 거치는 동안 그 내용이 과장되고 변할 수 있다.   (㉡)

71

---

5 뜻이 비슷한 속담

빈칸에 알맞은 낱말을 넣어 상황에 어울리는 속담을 완성해 보세요.

일 년 전 현수는 10만 원에 휴대 전화를 구입했다. 어느 날 휴대 전화가 고장 나서 수리점을 찾았더니, 기사님께서 수리비가 15만 원은 나올 거라고 말해 주셨다.

❶ 바늘보다 **실** 이 굵다.

❷ 얼굴보다 **코** 가 더 크다.

❸ 배보다 **배** **꼽** 이 더 크다.
도움말▲ ①~③은 주된 것보다 딸린 것이 더 크다는 말이에요.

축구부에 속해 있는 동훈이는 일 년 넘게 후보 신세를 면치 못했지만 연습을 게을리하지 않았다. 오랫동안 그 모습을 지켜본 감독님이 어느 날 주전 선수로 동훈이를 발탁했다.

❹ 쥐구멍에도 **볕** 들 날 있다.

❺ **응** **달** 에도 햇빛 드는 날이 있다.
볕이 잘 들지 않는 그늘진 곳

❻ 개똥밭에 **이** **슬** 내릴 때가 있다.
공기 중의 수증기가 뭉치어 생긴 물방울

❼ **마** **룻** **구** **멍** 에도 볕 들 날이 있다.
마룻바닥에 난 구멍
도움말▲ ④~⑦은 몹시 고생을 하는 삶도 좋은 운이 터질 날이 있다는 말이에요.

72

시험을 앞두고 윤선이는 열심히 시험공부를 한 반면, 상철이는 컴퓨터 게임을 하는 데 시간을 모두 써 버렸다. 시험 결과 윤선이는 좋은 성적을 받았지만, 상철이는 시험을 망쳤다.

❽ 가시나무에 **가** **시** 가 난다.

❾ 콩 심은 데 **콩** 나고 팥 심은 데 **팥** 난다.

❿ 오이 덩굴에 **오** **이** 열리고 가지 나무에 **가** **지** 열린다.
도움말▲ ⑧~⑩은 모든 일은 근본에 따라 거기에 걸맞은 결과가 나타난다는 말이에요.

민지와 혜지는 어렸을 때부터 기쁜 일이든 어려운 일이든 항상 함께해 온 쌍둥이 자매이다. 두 자매는 아직도 어디를 가든 꼭 붙어 다닌다.

⓫ **용** 가는 데 구름 간다.
상상의 동물 중 하나

⓬ 구름 갈 제 **비** 가 간다.

⓭ 범 가는 데 **바** **람** 간다.
공기의 움직임

⓮ **바** **늘** 가는 데 실 간다.
도움말▲ ⑪~⑭는 반드시 같이 다녀서 떨어지지 아니하는 경우를 나타내는 말이에요.

73

6 속담 퀴즈

✏ 빈칸에 알맞은 낱말을 [보기]에서 한 쌍씩 찾아 써 보세요.

보기

떡 – 제사 　　사람 – 범 　　사또 – 나팔
하나 – 열 　　사공 – 배 　　독장수 – 독

❶ 사또 덕분에 나팔 분다.
→ 남의 덕에 당치도 않은 행세를 하거나 대접을 받게 되었다는 말

❷ 떡 본 김에 제사 지낸다.
→ 기회가 좋을 때 일을 치른다는 말

❸ 하나 를 보고 열 을 안다.
→ 일부만 보고 전체를 미루어 안다는 말

❹ 독장수 구구는 독 만 깨뜨린다.
→ 실현성이 없는 허황된 계산은 오히려 손해만 가져온다는 말
도움말▲ 독장수구구가 독을 팔아 부자가 될 허황된 궁리만 하다가 가진 독을 모두 깨뜨렸다는 데에서 유래한 속담이에요.

❺ 사공 이 많으면 배 가 산으로 간다.
→ 여러 사람이 자기주장만 내세우면 일이 제대로 되기 어렵다는 말

❻ 사람 은 죽으면 이름을 남기고 범 은 죽으면 가죽을 남긴다.
→ 인생에서 가장 중요한 것은 명예를 남기는 일이라는 말

74

보기

길 – 걸음 　　발 – 오줌 　　세 – 여든
바늘 – 소 　　무쇠 – 바늘 　　메뚜기 – 유월

❼ 언 발 에 오줌 누기
→ 어떤 일을 대강 둘러맞추듯 처리하면 효과가 오래 가지 못한다는 말
도움말▲ 언 발에 오줌을 누면, 금세 다시 얼어 버리므로, 근본적인 대책이 되지 못한다는 말이에요.

❽ 천 리 길 도 한 걸음 부터
→ 무슨 일이나 그 일의 시작이 중요하다는 말

❾ 무쇠 도 갈면 바늘 된다.
→ 꾸준히 노력하면 아무리 어려운 일도 이룰 수 있다는 말

❿ 메뚜기 도 유월 이 한철이다.
→ 제 세상을 만난 듯이 한창 날뛰지만 한창때는 짧다는 말

⓫ 바늘 도둑이 소 도둑 된다.
→ 아무리 작은 것이라도 나쁜 버릇은 길들이지 말라는 말

⓬ 세 살 적 버릇이 여든 까지 간다.
→ 어릴 때부터 나쁜 버릇이 들지 않도록 잘 가르쳐야 한다는 말

75

7 타교과 어휘 　사회

✏ 빈칸에 알맞은 낱말을 써서 문장을 완성해 보세요.

❶ 분노한 시민들은 시 민 군 을 만들어 군인들에게 대항했다.
시민들이 스스로 조직한 군대

❷ 로마 교황의 서 거 소식에 전 세계의 사람들이 슬퍼하였다.
죽어서 세상을 떠남.
도움말▲ '서거'는 높임말이므로, 웃어른이나 고위 관료의 죽음을 이를 때 써요.

❸ 우리나라는 1987년에 대통령 선거 제도를 직 선 제 로 바꾸었다.
국민이 직접 대표를 뽑는 선거 제도
도움말▲ 긴급한 사태에 대통령에 의해 '계엄령'이 선포되면 군인들이 국민들을 통제하게 돼요.

❹ 국가에 비상사태가 발생할 때에 대통령은 계 엄 을 선포할 수 있다.
일정한 지역의 행정권과 사법권의 전부 또는 일부를 군이 맡아 다스리는 일

❺ 모든 국민은 인간으로서의 존 엄 과 가치를 인정받을 권리를 가지고 있다.
인물이나 지위 따위가 감히 범할 수 없을 정도로 높고 엄숙함.

❻ 교육부는 공 청 회 를 통해 과거보다 개선된 입시 정책을 내놓을 계획이다.
정책 결정 전에 관련된 사람들과 전문가의 의견을 듣는 공개회의

❼ 미국은 국민을 대표하는 선거인단이 대통령을 뽑는 간 선 제 를 채택하고 있다.
일정 수의 선거인단을 구성해 대표자를 뽑는 선거 제도

76

✏ 빈칸에 알맞은 낱말을 [보기]에서 찾아 써 보세요.

보기

관용 　사태 　정변 　추모 　혁명 　민주화 　자치제

❶ 정치인의 죽음을 추모 하는 사람들이 거리를 가득 메웠다.
죽은 사람을 그리며 생각함.

❷ 프랑스 시민 혁명 은 사회, 정치, 문화의 구조를 바꿔 놓았다.
한 사회의 권력과 조직을 뒤엎고 새로운 제도와 권력 조직을 만드는 일

❸ 지진 사태 가 발생했을 때에는 재빨리 관련 기관에 알려야 해요.
벌어진 일의 상태

❹ 갑작스럽게 군인들에 의해 정변 이 일어나 나라가 혼란스러웠다.
반란, 쿠데타처럼 권력 관계가 갑자기 바뀌는 것

❺ 권력이 중앙으로 집중되면 지방 자치제 가 제힘을 발휘하기 힘들다.
공공 단체나 집단이 스스로 일을 결정하여 행정을 펴는 제도
도움말▲ 지방 자치제는 수도권에 집중된 국가 자원을 여러 지역으로 나누는 데 효과적이에요.

❻ 전국에서 일어난 민주화 운동은 국민이 주인이라는 생각을 갖게 하였다.
민주주의 원칙에 맞게 되는 것

❼ 잘못을 인정하고 사과하는 사람에게는 관용 을 베풀어 용서할 수 있어야 한다.
너그럽게 용서하고 받아들이는 것

77

6장 내용을 추론해요

국어 교과서 208~235쪽

1 연극

이야기를 연극으로 만들려면 인물의 대사나 행동 따위를 적은 글인 '극본'이 있어야 해요.

다음 극본을 참고하여 주어진 설명에 해당하는 낱말을 [보기]에서 찾아 써 보세요.

현명한 친구

①때: 옛날 어느 날

곳: 어느 시골 마을

나오는 사람: 농부, 친구

막이 오르면 농촌의 한 농가가 보인다. 한 사람이 대문을 두드린다.

농부: (집 안에 앉으며 근심스런 목소리로) ③상의 좀 하려고 왔다네.

친구: (의외라는 듯) 웬일로 걱정거리가 생겼나?

농부: 밤새 고민했지만 어찌해야 할지 몰라서…….

친구: 어서 말해 보게.

도움말▲ 연극은 동화나 소설과 다르게, 해설, 지문, 대사로 이야기를 전달해요.

[보기]

| 대사 | 해설 | 지문 |

① 배경과 무대 설명, 나오는 사람, 무대 바뀜 등을 설명하는 부분 ⇨ 해설

② 괄호 안에 인물의 행동이나 표정 등을 나타내는 부분 ⇨ 지문

③ 인물이 직접 말하는 부분 ⇨ 대사

80

---

2 주제별 어휘 한옥

한옥은 우리나라의 전통 주택을 이르는 말이에요. 한옥의 가장 큰 특징은 온돌방과 마루가 균형 있게 결합된 구조를 갖추고 있는 점이에요.

주어진 뜻에 알맞은 낱말을 그림에서 찾아 써 보세요.

① 기둥 밑에 기초로 받쳐 놓은 돌 ⇨ 주춧돌

② 한옥에서 방과 방 사이의 큰 마루 ⇨ 대청

③ 벽의 바깥쪽으로 내민 지붕의 부분 ⇨ 처마

④ 불을 때거나 더운물, 전기 등으로 바닥을 덥게 한 방 ⇨ 온돌방

⑤ 집의 벽, 천장 등에 여러 색깔로 그림이나 무늬를 그린 그림 ⇨ 단청
　　도움말▲ 단청은 벽이나 천장을 꾸미는 기능 외에
　　비바람과 벌레로부터 나무를 보호하는 역할도 해요.

81

---

3 자주 쓰는 말 입이 벌어지다

빈칸에 알맞은 말을 [보기]에서 찾아 써 보세요.

[보기]

| 기를 쓰다 | 허를 차다 | 길이 열리다 |
| 시치미를 떼다 | 입이 벌어지다 | 어깨를 나란히 하다 |

① 새치기를 하는 사람을 보고 **허를 차다** .
　　마음이 언짢거나 유감의 뜻을 나타내다.

② 간식을 먹고도 안 먹은 척 **시치미를 떼다** .
　　자기가 하고도 아니한 척 모르는 체하다.

③ 보고서의 내용이 아주 정확해서 **입이 벌어지다** .
　　매우 놀라거나 좋아하다.

④ 어미 닭이 병아리를 구하려고 **기를 쓰다** .
　　있는 힘을 다하다.

⑤ 다른 나라로 상품을 수출할 수 있는 **길이 열리다** .
　　어떤 일을 하게 되거나 전망이 보이다.

⑥ 우리나라의 기업이 국제 기업들과 **어깨를 나란히 하다** .
　　서로 비슷한 지위나 힘을 가지다.

82

---

4 바꿔 쓸 수 있는 말 연회

밑줄 친 낱말과 바꿔 쓸 수 있는 낱말을 [보기]에서 찾아 써 보세요.

[보기]

| 짬 | 거처 | 단서 | 보완 | 연회 | 추측 | 침략 |

① 그 집은 당분간 우리가 머물 숙소로 적당하다. ⇨ 거처
　　집을 떠난 사람이 임시로 묵는 곳
　　도움말▲ 밑줄 친 낱말을 바꾸어 문장을 읽어 보도록 해요.

② 우리 축구팀은 수비수를 좀 더 보충하면 좋겠다. ⇨ 보완
　　부족한 것을 보태어 채움.

③ 전화 목소리로는 그의 나이를 짐작할 수 없었다. ⇨ 추측
　　사정이나 형편 등을 어림잡아 헤아림.

④ 어제는 너무 바빠서 잠시도 쉴 겨를이 없었다. ⇨ 짬
　　일하는 도중에 쉴 수 있는 시간적인 여유

⑤ 경찰은 그 사건의 실마리를 찾으려고 무척 고생했다. ⇨ 단서
　　일이나 사건을 풀어 나갈 수 있는 첫머리

⑥ 적의 침입이 잦은 해안 지방의 백성들은 고난이 심했다. ⇨ 침략
　　불법으로 쳐들어가거나 쳐들어옴.

⑦ 임금은 전쟁을 마치고 돌아온 병사들을 위해 잔치를 베풀었다. ⇨ 연회

83

5 뜻이 여러 가지인 말 좋다

하나의 낱말이 여러 가지 의미를 가지고 있는 경우가 있어요. 이런 낱말을 '다의어'라고 해요.

✏️ 밑줄 친 낱말에 알맞은 뜻을 찾아 그 기호를 써 보세요.

좋다	㉠ 날씨가 맑거나 고르다.
	㉡ 성품이나 인격 등이 원만하거나 선하다.
	㉢ 신체적 조건이나 건강 상태가 보통 이상 수준이다.
	㉣ 성질이나 내용 등이 보통 이상 수준이어서 만족할 만하다.

❶ 나의 건강은 지금 아주 좋다. (㉢)

❷ 햇볕이 나서 오늘 날씨가 좋다. (㉠)

❸ 오늘 본 영화가 기대 이상으로 좋다. (㉣)

❹ 영수가 성격이 급하기는 하지만 마음씨가 매우 좋다. (㉡)

빠지다	㉠ 어느 정도 이익이 남다.
	㉡ 박힌 물건이 제자리에서 나오다.
	㉢ 원래 있어야 할 것에서 모자라다.

❺ 목에 걸린 가시가 빠지다. (㉡)

❻ 물건을 도매로 사서 팔았더니 하루 품삯 정도가 빠졌다. (㉠)

도움말▲ '품삯'은 몸을 움직여 일해 준 값으로 받는 돈을 말해요.

❼ 회비로 걷은 돈이 이상하게 십만 원에서 천 원이 빠진다. (㉢)

84

쌓다	㉠ 물건을 차곡차곡 포개어 구조물을 이루다.
	㉡ 여러 개의 물건을 겹겹이 포개어 얹어 놓다.

❽ 겨울에 먹을 양식을 창고에 쌓았다. (㉡)

❾ 지난해 홍수 피해 이후로 축대를 쌓았다. (㉠)

도움말▲ '축대'는 언덕진 데에 평평한 터를 만들기 위해 쌓은 벽을 말해요.

깊다	㉠ 생각이 신중하다.
	㉡ 수준이 높거나 정도가 심하다.
	㉢ 겉에서 속까지의 거리가 멀다.

❿ 철수는 나이에 어울리지 않게 속이 깊다. (㉠)

⓫ 이곳 바다는 배가 지나갈 수 있을 정도로 깊다. (㉢)

⓬ 어머니는 미술을 전공하셔서 그림에 조예가 깊다. (㉡)

도움말▲ '조예'는 학문, 예술, 기술 등에 대하여 가지고 있는 깊은 지식을 말해요.

돌다	㉠ 기능이나 체제가 제대로 작용하다.
	㉡ 정신을 차릴 수 없도록 아찔해지다.
	㉢ 물체가 일정한 점 또는 선을 중심으로 원을 그리면서 움직이다.

⓭ 기계가 무리 없이 잘 돌고 있다. (㉠)

⓮ 감기약을 먹었더니 머리가 핑 돈다. (㉡)

⓯ 아이들이 팽그르르 도는 팽이를 보며 즐거워한다. (㉢)

85

---

6 형태는 같은데 뜻이 다른 말 관리

원래는 다른 말이지만 형태가 같은 낱말이 있어요. 이런 낱말은 형태는 같은데 뜻이 다르다고 하여 동형어라고 하지요.

✏️ 빈칸에 공통으로 들어갈 낱말을 써 보세요.

도움말▲ ①과 ②에 쓰인 낱말은 전혀 다른 동형어예요.

❶ 관리
① 건물 □□가 제대로 되지 않아 낡아 보인다.
시설이나 물건의 유지 따위의 일을 맡아 함.
② 조선 시대에는 과거 제도를 통해 □□를 선발하였다.
공무원과 같이 나라 일을 하는 사람

❷ 초대
① 영화 시사회에 □□를 받아 구경 가기로 하였다.
어떤 모임에 참가해 줄 것을 청함.
② 그는 학교 설립에 기여한 공로가 커 □□ 교장으로 선출되었다.
자리나 지위에서 첫 번째에 해당하는 차례

❸ 감상
① 우리 가족은 종종 연극 □□을 즐긴다.
주로 예술 작품을 이해하여 즐기고 평가함.
② 돌아가신 할머니에 대한 □□으로 침울해졌다.
슬프거나 쓸쓸하게 느끼는 마음
③ 여행지에서 얻은 □□을 쓰는 것이 기행문이다.
마음속에서 일어나는 느낌이나 생각

86

❹ 인상
① 그는 □□이 험악하여 사람들이 말을 잘 걸지 않는다.
사람 얼굴의 생김새
② 고흐의 미술 작품은 대중들에게 강렬한 □□을 남겼다.
어떤 대상에 대하여 마음속에 새겨지는 느낌

❺ 가격
① 새로 나온 게임기를 할인된 □□으로 샀다.
물건이 지니고 있는 가치를 돈으로 나타낸 것
② 태권도 경기에서 우리나라 선수가 정확한 □□으로 점수를 땄다.
손이나 주먹 등으로 때리거나 침.

❻ 수리
① 창수는 □□에 밝아서 계산이 틀리는 일이 없다.
수학의 이론이나 이치
② 오래된 자동차가 고장이 자주 나서 □□를 맡겼다.
고장 나거나 허름한 데를 손보아 고침.

❼ 무력
① 전쟁이 나자, 두 나라는 □□으로 맞서 싸웠다.
군사상의 힘
② 실패를 거듭하다 보면 삶에 대한 □□을 느끼기 쉽다.
힘이 없음.

❽ 용기
① 아버지는 실의에 빠진 나에게 □□를 북돋아 주셨다.
씩씩하고 굳센 기운
② 남은 음식은 □□에 잘 담아 냉장고에 보관해야 한다.
물건을 담는 그릇

87

7 낱말 퀴즈

✏️ 빈칸에 알맞은 낱말을 써서 문장을 완성해 보세요.

➊ 많은 사람들이 일제 강 점 기 에 징용으로 끌려갔다.
　　　　　　　　　　남의 물건, 영토 등을 강제로 차지하는 시기

➋ 그 사람은 역사의 소 용 돌 이 속에 휩쓸려 처형당했다.
　　　　　　　　　힘이나 생각 등이 서로 뒤엉켜 요란스러운 상태
　　도움말▲ '소용돌이'는 기본적으로 바닥이 팬 자리에서 물이 빙빙 돌면서
　　흐르는 현상을 말해요.

➌ 임진왜란 당시 조선은 중국에 사 신 을 보내 도움을 청했다.
　　　　　　　　　　　국가의 명령을 받고 외국에 파견되는 신하

➍ 확실한 증거 없이 추 론 에 의해서 결론을 내려서는 위험하다.
　　　　　　　　미루어 생각하여 논함.

➎ 취미 생활을 하는 것은 스트레스를 해 소 하는 데 도움이 될 수 있다.
　　　　　　　　　　　　어려운 일이나 문제가 되는 상태를 해결하여 없앰.

➏ 우리는 상품의 판매 현황을 조사하여 보 고 서 를 작성해야 해서 바쁘다.
　　　　　　　　　　　　　보고하는 글이나 문서
　　도움말▲ '현황'은 현재의 상황을 뜻하는 낱말이에요.

➐ 선생님은 우리가 만드는 신문의 기획과 편 집 에 조언을 아끼지 않으셨다.
　　　　　　　　　　　　글 재료 등을 모아 신문, 잡지 등을 만드는 일

88

➑ 촉석루라는 옛 누 각 에 올라 사방을 둘러보았다.
　　　　　　　　사방을 바라볼 수 있도록 문과 벽이 없이 높이 지은 집
　　도움말▲ 한자어 '루(樓)'가 들어가는 낱말은, 사방을 볼 수 있게
　　문과 벽이 없이 높이 지은 집을 가리켜요.

➒ 행사를 치르던 숭정전과 영조의 어 진 을 모신 태령전이 있다.
　　　　　　　　　　　　　임금의 얼굴 그림이나 사진
　　도움말▲ '숭정전', '태령전'과 같이 궁궐에 '전(殿)'이 붙은 건물은
　　왕과 왕비를 위한 공간을 가리켜요.

➓ 임금은 가장 지혜로운 나 인 을 뽑아 왕자를 보살피게 하였다.
　　　　　　　　　　조선 시대에 궁궐 안에서 왕과 왕비를 모시는 사람들

⓫ 오늘이 바로 새로운 왕의 즉 위 식 이 열리는 경사스러운 날이다.
　　　　　　　　　　　임금 자리에 오르는 것을 알리기 위해 치르는 의식

⓬ 이번 수업은 역사에 대한 배 경 지 식 없이는 이해하기 힘들다.
　　　　　　　　어떤 일을 할 때 이미 머릿속에 있거나 기본적으로 필요한 지식

⓭ 날씨가 추워지면서 호수 가 장 자 리 에는 살얼음이 끼기 시작했다.
　　　　　　　　　둘레나 끝에 해당되는 부분

⓮ 수원 화성에는 정조가 사도 세자의 묘를 찾을 때 머물던 행 궁 이 있다.
　　　　　　　　　　　　　　임금이 나들이 때 머물던 궁궐
　　도움말▲ '수원 화성'은 조선 정조 때에, 우리나라와 외국 성곽의
　　장점을 결합해 건설한 도시 성곽이에요.

89

8 타교과 어휘 과학

✏️ 빈칸에 알맞은 낱말을 [보기]에서 찾아 써 보세요.

보기

해충　기공　양분　광합성　세포막　세포벽　세포핵

➊ 식물은 광합성 을 통해 녹말을 만들어 낸다.
　　　　　　식물이 빛을 이용하여 영양을 스스로 만드는 과정

➋ 나무는 주로 토양으로부터 양분 을 공급받는다.
　　　　　　　　　　　　영양이 되는 성분

➌ 기공 에서 잎에 있는 수분이 기체 상태로 내보내진다.
　잎 뒷면의 공기구멍

➍ 세포벽 은 동물 세포에는 없으나 식물 세포에는 존재한다.
　세포를 외부로부터 보호하고 세포의 모양을 유지하도록 하는 벽
　도움말▲ 식물 세포는 동물 세포와 달리 엽록체가 있어서
　양분을 만들 수 있고, 세포벽이 있어서 모양이 일정해요.

➎ 껍질은 해충 의 침입을 막고 추위와 더위로부터 식물을 보호한다.
　　　　　　　　인간의 생활에 직접 또는 간접으로 해를 주는 곤충

➏ 세포막 은 세포 내의 물질들을 보호하고 세포 간 물질 이동을 조절한다.
　세포와 세포 외부의 경계를 짓는 막

➐ 세포의 중심에 존재하는 세포핵 의 수는 하나로, 세포의 기능을 조절한다.
　　　　　　　　　　　유전에 관계하는 생물 세포의 중심에 있는 알갱이

90

✏️ 밑줄 친 낱말의 알맞은 뜻을 찾아 번호를 써 보세요.

➊ 깡통에 압력을 가하면 쉽게 찌그러진다. (①)
　① 누르거나 미는 힘
　② 당기거나 늘리는 힘

➋ 공기를 불어 넣을수록 풍선은 점점 팽창한다. (①)
　① 부풀어서 부피가 커짐.
　② 줄어들거나 오그라드는 것
　도움말▲ ②는 '팽창'의 반대말인 '수축'을 뜻해요.

➌ 소금물의 농도가 진할수록 달걀은 더 잘 뜬다. (②)
　① 용액 따위가 차지고 끈끈한 정도
　② 용액 따위의 진함과 묽음의 정도
　도움말▲ ①은 '점도'에 대한 뜻이에요.

➍ 공기는 여러 가지 기체가 섞여 있는 혼합물이다. (①)
　① 여러 가지가 각각의 성질을 지니면서 뒤섞인 물질
　② 여러 가지가 결합하여 새로운 성질을 지니게 된 물질

➎ 증산 작용은 식물이 수분의 균형을 유지하는 데 영향을 미친다. (②)
　① 잎이 스스로 수분을 만들어 내는 작용
　② 잎의 뒷면에 있는 구멍을 통해 수분이 기체로 빠져나가는 작용

➏ 많은 농가들이 수확을 늘리기 위해서 농작물의 품종 개량에 힘쓰고 있다. (①)
　① 생물의 특성을 고쳐 더 좋게 만드는 것
　② 생물의 암수를 인공적으로 수정시켜 다음 세대를 얻는 것
　도움말▲ ②는 '교배'에 대한 뜻이에요.

91

7장 우리말을 가꾸어요

 국어 교과서 236~257쪽

1 언어생활

우리가 일상생활에서 사용하는 언어에는 올바르지 않은 표현들이 많아요. 자신의 언어생활을 점검하고 올바르지 않은 비속어나 신조어, 불필요한 외국어 등은 쓰지 않아야 해요.

🖊 주어진 낱말에 알맞은 뜻을 찾아 연결해 보세요.

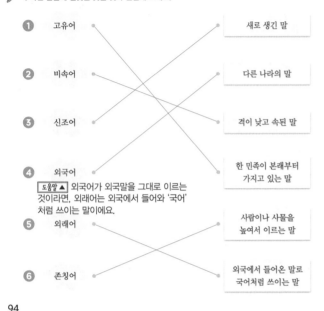

① 고유어 ── 새로 생긴 말

② 비속어 ── 다른 나라의 말

③ 신조어 ── 격이 낮고 속된 말

④ 외국어 ── 한 민족이 본래부터 가지고 있는 말
도움말▲ 외국어가 외국말을 그대로 이르는 것이라면, 외래어는 외국에서 들어와 '국어'처럼 쓰이는 말이에요.

⑤ 외래어 ── 사람이나 사물을 높여서 이르는 말

⑥ 존칭어 ── 외국에서 들어온 말로 국어처럼 쓰이는 말

94

2 자주 쓰는 말 당근과 채찍

두 이상의 낱말이 어울려 원래의 뜻과는 다른 새로운 뜻으로 굳어져서 쓰이는 표현을 '관용 표현'이라고 해요.

🖊 밑줄 친 말의 알맞은 뜻을 찾아 그 기호를 써 보세요.

> ㉠ 사람을 다룰 때 필요한 상과 벌 등을 이름.
> ㉡ 어떤 일에 대해 두 가지 면이 존재하는 것을 이름.
> ㉢ 사회 경험이 적어서 자기 잘난 줄만 아는 사람을 이름.
> ㉣ 중요한 문제지만 쉽게 다루기 어려운 문제를 비유적으로 이름.
> ㉤ 호기심으로 인해 생긴 잘못된 일이나 해서는 안 될 일을 이름.

① 시골 학교에서 1등을 했다고 뻐기다니 우물 안 개구리로군. ⇨ ㉢

② 주거 정책이 발표되면서 주택 문제가 뜨거운 감자로 떠올랐다. ⇨ ㉣

③ 선생님은 당근과 채찍을 적절히 활용하여 학생들을 교육하였다. ⇨ ㉠

④ 세계화는 동전의 양면 같아 긍정적인 면과 부정적인 면이 있다. ⇨ ㉡

⑤ 생명 복제의 연구를 허용하는 것은 판도라의 상자를 여는 것과 같다. ⇨ ㉤
도움말▲ '판도라의 상자'는 그리스 신화에 나오는 상자로, 온갖 죄악과 재앙이 담겨 있어요.

95

3 주제별 어휘 1 고유어

고유어는 한 민족이 본래부터 가지고 있는 말을 말해요. 순수한 우리말이라는 뜻에서 '순우리말'이라고도 하지요.

🖊 빈칸에 알맞은 낱말을 [보기]에서 찾아 써 보세요.

[보기]
꼼수   멍에   곰방대   나들목   길라잡이   모름지기   미주알고주알

① 노인은 [곰방대]를 털며 이야기를 시작했다.
담배를 피우는 데 쓰는 짧은 담뱃대

② 고속 도로 [나들목] 부근에서 정체가 심하다.
나가고 들어가는 길목
도움말▲ '나들목'을 외래어로 '인터체인지'라고도 하는데, 이는 우리말로 쓰는 것이 좋아요.

③ 엄마는 내 친구들에 대해서 [미주알고주알] 캐물었다.
아주 사소한 일까지 속속들이
도움말▲ '미주알'은 창자의 끝부분을 가리키는 말이에요. '미주알고주알'은 속창자까지 살필 만큼 묻는다는 뜻이에요.

④ 우리는 [길라잡이] 없이 어둠 속을 뚫고 길을 떠났다.
길을 안내해 주는 사람이나 사물

⑤ 그는 실력으로 안 될 것 같으니까 [꼼수]를 썼다.
폐쾌한 수단이나 방법

⑥ 젊은 청년들은 [모름지기] 모든 일에 자신감이 넘쳐야 한다.
이치에 따라 마땅히 또는 반드시

⑦ 옛날에는 소에게 [멍에]를 얹고 쟁기를 매달아서 밭을 갈았다.
수레나 쟁기를 끌기 위해 소의 목에 얹는 굽은 막대

96

4 주제별 어휘 2 순화어

말을 사용할 때에는 불필요한 표현은 줄이고 올바른 말을 사용해야 해요. '순화어'는 지나치게 어려운 말이나 규범에 벗어난 말, 외래어 등을 규범에 맞게 바꾼 낱말을 말해요.
도움말▲ 규범에 맞는 알맞은 말이 있음에도 불필요하게 외래어를 사용하는 것은 잘못이에요.

🖊 밑줄 친 낱말을 순화해서 알맞은 낱말로 바꿔 써 보세요.

① 기분 전환을 위해 레크리에이션 시간을 갖자. ⇨ 오 락
함께 모여 놀거나 운동 등을 즐기는 일

② 날이 더워서 재킷을 벗어 팔에 걸치고 다녔다. ⇨ 웃 옷

③ 고민거리가 많은 청소년은 전문 카운슬링 선생님이 필요하다. ⇨ 상 담
문제를 해결하기 위해 의논함.

④ 우리는 편리함을 추구하는 젊은 신혼층을 타깃(으)로 삼았다. ⇨ 목 표
목적을 이루기 위한 대상

⑤ 도서관에서 미스터리 소설이 재미있어 시간 가는 줄 몰랐다. ⇨ 추 리
알고 있는 것을 바탕으로 미루어 생각함.

⑥ 학교 정문에 걸린 플래카드에는 입학 축하 문구가 쓰여 있었다. ⇨ 현 수 막
선전문, 구호 등을 적어 걸어 놓은 막

⑦ 정책에 대한 여론을 알아보기 위해 앙케트를 실시하였다. ⇨ 설 문 조 사
통계를 얻기 위해 문제를 내어 묻는 조사

97

5 외래어 표기 뷔페

다음 문장에 알맞은 낱말을 찾아 ○표 하세요.

❶ 어제 저녁에 우리 가족은 (부페 / (뷔페))에서 식사를 했다.

❷ 질 높은 한류 (컨텐츠 / (콘텐츠))가 세계를 열광하게 하고 있다.
　통신망 등을 통해 제공되는 각종 정보나 내용물

❸ 사촌 형은 명문 고등학교 ((배지) / 뱃지)를 가슴에 달고 있었다.
　신분을 나타내거나 기념하기 위해 옷 등에 붙이는 물건

❹ 제주도에 가서 (렌트카 / (렌터카))를 빌려 구경을 다니기로 했다.
　세를 내고 빌리는 자동차

❺ 수분 흡수력이 뛰어난 스포츠 (타올 / (타월))을 수영장에 갖고 갔다.
　도움말▲ '타월'은 '수건'으로 순화할 수 있어요.

❻ 포장을 할 때에 환경을 위해 (스치로폼 / (스티로폼))의 사용을 자제하자.

❼ 그릇의 소재로는 도자기, 유리, (스텐레스 / (스테인리스)) 등 여러 가지가 쓰인다.

98

---

❽ 내 책은 책상 옆 (캐비넷 / (캐비닛)) 안에 있어요.
　서류나 물품 등을 넣어 보관하는 장

❾ 가까운 (수퍼마켙 / (슈퍼마켓))에 가서 간식거리를 구입했다.
　가족들이 함께 가서 식사하기 좋도록 꾸며진 식당

❿ 신선한 과일로 만든 ((주스) / 쥬스)를 마시는 것이 건강에 좋다.

⓫ 대학생 누나는 종종 집 근처 ((커피숍) / 커피숖)에서 공부하곤 한다.
　도움말▲ 외래어를 표기할 때에는 받침에
　'ㄱ, ㄴ, ㄹ, ㅁ, ㅂ, ㅅ, ㅇ'만을 써야 해요.

⓬ 유리창을 닦을 때 ((스펀지) / 스폰지)에 비눗물을 묻혀 사용하면 좋다.

⓭ 우리 가족은 하루에 두 시간만 (테레비전 / (텔레비전))을 시청하기로 했다.

⓮ ((쥐라기) / 쥬라기)는 공룡을 비롯한 파충류가 지구를 지배하던 시기이다.
　약 1억 8000만 년 전부터 1억 3500만 년 전까지의 지질 시대

⓯ 역 대합실의 ((스낵) / 스넥) 코너에 잠시 앉아 따뜻한 우유와 빵을 먹었다.
　간단한 식사나 간식거리

20일
○ 월
○ 일

99

---

6 낱말 퀴즈

빈칸에 알맞은 낱말을 써서 문장을 완성해 보세요.

❶ 농부는 논밭이, 어부는 바다가 삶의 | 터 | 전 | 이다.
　살림의 근거지가 되는 곳

❷ | 대 | 중 | 매 | 체 | 의 발달로 지역 사회가 변화하고 있다.
　신문, TV등 많은 사람에게 대량으로 정보를 전달하는 매체

❸ 그는 심한 부상을 입어서 이번 대회에 | 기 | 권 | 할 예정이다.
　투표, 경기 등에 참가할 권리를 스스로 포기하는 것

❹ 저속한 말을 자주 사용하면 | 품 | 격 | 이 낮은 사람으로 보인다.
　사람 된 바탕과 타고난 성품, 품위
　도움말▲ '저속하다'는 '품위가 낮고 속되다.'라는 표현이에요.

❺ 박 교수는 어려운 | 쟁 | 점 | 을 학생들이 이해하기 쉽게 설명했다.
　대화나 연구 등에서 중심이 되는 문제

❻ 각종 쓰레기로 인한 환경 오염의 | 실 | 태 | 를 조사하기로 하였다.
　있는 그대로의 상태 또는 실제 모양

❼ 여행을 떠나기 전에는 준비물에 대한 철저한 | 점 | 검 | 이 필요하다.
　낱낱이 검사함.

100

밑줄 친 부분의 글자 순서를 바르게 고쳐 써 보세요.

❶ 농촌에 사는 사람들은 보통 체동공 의식이 강한 편
이다. ⇨ | 공 | 동 | 체 |
　생활이나 행동, 목적 등을 같이 하는 집단
　도움말▲ '공동체 의식'은 생활이나 목적 등을 같이 하는
　집단의 감정이나 견해 등을 말해요.

❷ 감자신이 넘치는 사람은 무슨 일을 맡겨도 적극적 ⇨ | 자 | 신 | 감 |
　자신이 있다는 느낌
이다.

❸ 정부는 재난에 대한 례사집을 발간하여 만일을 대 ⇨ | 사 | 례 | 집 |
비하게 하였다.
　사례들을 모아 엮은 책

❹ 우리는 남에게 양보할 줄 아는 심려배 많은 사람이 ⇨ | 배 | 려 | 심 |
되어야 합니다.
　도와주거나 보살펴 주는 마음

❺ 그녀는 대학을 졸업하고야 학벌에 대한 열감등을 ⇨ | 열 | 등 | 감 |
극복할 수 있었다.
　자기를 남보다 못하다고 낮추어 평가하는 감정

❻ 애견은 사람과 함께 살아가는 반물동려이자 우리의 ⇨ | 반 | 려 | 동 | 물 |
가족이다.
　사람이 의지하고자 가까이 두고 기르는 동물

❼ 우리 형은 외국인과 소사의통이 자유로울 정도로 ⇨ | 의 | 사 | 소 | 통 |
영어를 잘한다.
　생각이나 뜻이 서로 통하여 오해가 없음.

20일
○ 월
○ 일

101

7 띄어쓰기

✏️ 다음 문장을 주어진 횟수에 따라 바르게 띄어 써 보세요.

① 나는할수있다. (3회)

| 나 | 는 | | 할 | | 수 | | 있 | 다 | . | | |

> 도움말 ▲ '있다', '없다' 따위와 함께 쓰이는 '수'는 앞말과 띄어 써야 해요.

② 그렇게하면안돼. (3회)

| 그 | 렇 | 게 | | 하 | 면 | | 안 | | 돼 | . | |

> 도움말 ▲ '안 돼'에서 '안'은 부정을 나타내는 말로,
> 하나의 낱말로 보아 띄어 써야 해요.

③ 그게임은하기싫어. (3회)

| 그 | | 게 | 임 | 은 | | 하 | 기 | | 싫 | 어 | . |

④ 우리는다시할거야. (3회)

| 우 | 리 | 는 | | 다 | 시 | | 할 | | 거 | 야 | . |

> 도움말 ▲ '할 거야'의 '거'는 '것'의 다른 표현이므로,
> 앞의 '할'과는 띄어 써야 해요.

⑤ 어쩔수없이해야해. (4회)

| 어 | 쩔 | | 수 | | 없 | 이 | | 해 | 야 | | 해 | . |

⑥ 자전거가멋있어보여! (2회)

| 자 | 전 | 거 | 가 | | 멋 | 있 | 어 | | 보 | 여 | ! |

102

⑦ 갈수있을거야. (3회)

| 갈 | | 수 | | 있 | 을 | | 거 | 야 | . | | |

⑧ 내일다시할거야. (3회)

| 내 | 일 | | 다 | 시 | | 할 | | 거 | 야 | . | |

⑨ 영화보러가고싶다. (3회)

| 영 | 화 | | 보 | 러 | | 가 | 고 | | 싶 | 다 | . |

⑩ 걸어가기멀어보인다. (2회)

| 걸 | 어 | 가 | 기 | | 멀 | 어 | | 보 | 인 | 다 | . |

⑪ 빨리그일을해야해. (4회)

| 빨 | 리 | | 그 | | 일 | 을 | | 해 | 야 | | 해 | . |

⑫ 이렇게하면잘될까요? (3회)

| 이 | 렇 | 게 | | 하 | 면 | | 잘 | | 될 | 까 | 요 | ? |

103

---

8 타교과 어휘 도덕

✏️ 빈칸에 알맞은 낱말을 주어진 글자 카드로 만들어 써 보세요.

| 격 | 성 | 신 | 언 | 의 | 찰 |

① 내가 책에서 찾은 **격 언** 은 "시간은 금이다."라는 것이다.
인생의 교훈이나 경계 따위를 간결하게 표현한 짧은 글

② 두 사람은 서로의 비밀을 끝까지 말하지 않고 **신 의** 를 지켰다.
믿음과 의리를 아울러 이르는 말

③ 학교 수업에서 지난날 자신의 행동을 **성 찰** 해 보는 시간을 가졌다.
자신의 삶을 반성하며 깊이 살핌.

| 고 | 공 | 뇌 | 명 | 우 | 좌 | 헌 |

④ 노벨은 인류 문명의 발전에 크게 **공 헌** 한 화학자이다.
힘을 써 이바지함.

> 도움말 ▲ 노벨은 다이너마이트, 무연 화약 따위를
> 발명한 화학자예요.

⑤ 시인 윤동주는 지식인으로서 겪어야 하는 **고 뇌** 를 시로 표현했다.
정신적인 괴로움

⑥ 모든 일에 적극적인 그의 **좌 우 명** 은 '매사에 최선을 다하자.'이다.
가까이 두고 생활의 길잡이로 삼는 말이나 문구

104

✏️ 빈칸에 알맞은 낱말을 [보기]에서 찾아 써 보세요.

> **보기**
> 경청 공정 대우 부당 원리 정의 평등

① 모든 국민은 법 앞에서 **평등** 하다.
권리, 의무, 자격 등이 차별 없이 고르고 한결같음.

② 일한 대가를 지불하지 않는 것은 **부당** 하다.
도리에 어긋나서 옳지 않음.

③ 우리는 그의 집에 초대되어 정중한 **대우** 를 받았다.
예의를 갖추어 대하는 일

④ 그의 이야기에 관심이 없는지 사람들은 **경청** 하지 않았다.
공경하는 마음으로 들음.

⑤ 간단한 실험을 통해 로켓의 발사 **원리** 를 이해할 수 있었다.
기본이 되는 이치나 법칙

> 도움말 ▲ '지렛대의 원리', '민주주의의 원리' 등과 같이 쓰여요.

⑥ 선거 관리 위원회는 **공정** 한 선거를 치르기 위해 감독을 강화할 것이다.
공평하고 올바름.

> 도움말 ▲ 선거 관리 위원회는 선거가 공정하게 잘 이루어지도록
> 감독하는 국가 기관이에요.

⑦ 사회의 **정의** 를 바로 세우기 위해서 현실에 맞지 않은 법을 고쳐야 한다.
사회를 구성하고 유지하는 올바른 도리

105

8장 인물의 삶을 찾아서

국어 교과서 258~299쪽

1 주제별 어휘 1 전쟁

✎ 빈칸에 알맞은 낱말을 [보기]에서 찾아 써 보세요.

보기

군비	명령	수군	작전	포로	피난

❶ 용감한 우리 [수군] 에 의해 왜군은 단번에 무너졌다.
　　　주로 바다에서 공격과 방어의 임무를 맡은 군대

❷ 군대는 목숨보다도 [명령] 을 존중하는 특수 집단이다.
　　　상급자가 하급자에 군사적 행위를 하게 함.

❸ 맥아더 장군은 인천으로 상륙하는 [작전] 을 지휘하였다.
　　　군사적 목적을 이루기 위해 행하는 방법이나 대책

❹ 적의 [포로] 가 되느니 차라리 내 손으로 목숨을 끊으리라.
　　　사로잡은 적

❺ 적이 서울로 밀려들어 와 정부는 수원으로 [피난] 하게 되었다.
　　도움말 ▲ '피난'과 '피란'은 비슷한 뜻을　　재난을 피하여 멀리 옮겨 감.
　　가지고 있지만, 특히 '피란'은 전쟁 같은
　　큰 난리에 사용되는 말이에요.

❻ 두 강대국의 [군비] 경쟁으로 세계는 전쟁의 위험에 처하게 되었다.
　　　전쟁을 수행하기 위해 갖춘 군사 시설이나 장비

108

2 주제별 어휘 2 숲

✎ 빈칸에 알맞은 낱말을 써서 문장을 완성해 보세요.

22일
○ 월
○ 일

❶ 지렁이의 배설물은 [토][양] 을 기름지게 하고 부드럽게 해 준다.
　　　식물에 영양을 공급하여 자라게 할 수 있는 흙

❷ [산][림] 을 보호하기 위해 등산객들의 입산을 금지할 계획이다.
　　　산과 숲 또는 산에 있는 숲

❸ 우리 동네의 도로 양쪽에 심어져 있는 가로수가 [울][창][하][다].
　　　　　　　　　　　　　　　나무가 빽빽하게 우거지고 푸르다.

❹ 그 지방의 땅은 [비][옥] 해서 과일이 크고 맛있게 자라기로 유명하다.
　　　땅이 걸고 기름짐.

❺ 식목일을 맞이하여 우리 학교는 교정에 다양한 [묘][목] 을 심기로 했다.
　　도움말 ▲ '묘목'은 '나무' 또는 '나무모'로　　옮겨 심는 어린나무
　　순화할 수 있어요.

❻ 가을 내내 아버지는 매일 산에 가서 [땔][감] 을 모으는 일에 집중하셨다.
　　　불을 때는 데 쓰는 재료

❼ 정부에서는 무분별한 [벌][목] 을 통제하여 자원을 관리하는 데 신경 쓰고 있다.
　　　숲의 나무를 벰.

109

3 잘못 쓰기 쉬운 말 빙그레

✎ 다음 문장에 알맞은 낱말을 찾아 ○표 하세요.

❶ 아기가 (⭕빙그레/ 빙그래) 웃음을 짓고 있다.

❷ 이 도시에 도서관이 (통털어/ ⭕통틀어) 열 개가 넘는다.
　　도움말 ▲ '통틀어'의 기본형은 '통틀다'예요.
　　따라서 '통털어(×)'라고 쓰면 안 돼요.

❸ 어머니는 (텃밭/ 터밭)에 갖가지 채소를 심고 가꾸셨다.
　　　집터에 딸리거나 집 가까이 있는 밭

❹ 승강기가 고장 났지만 다행히 (갇힌/ 갖힌) 사람은 없었다.

❺ 오늘따라 (⭕유난히/ 유난이) 서쪽 하늘의 붉은 석양이 아름답다.

❻ 상대 배우 없이 (혼잣말/ 혼자말)을 하는 것을 독백이라고 한다.
　　도움말 ▲ 순우리말끼리 합쳐진 말 중, 앞말이 모음으로 끝나고 뒷말이
　　'ㅁ, ㄴ'으로 시작될 때 'ㄴ' 소리가 덧나면 'ㅅ'을 받치어 적어요.

❼ 선생님께서 학생들의 시험지를 보고 점수를 (⭕매기셨다/ 메기셨다).
　　도움말 ▲ 사물의 값이나 등수를 정하는 것을 가리켜 '매기다'라고 써요.

더 알아두기

맞춤법이란 문자로써 한 언어를 표기하는 규칙이나 낱말별로 굳어진 표기법을 말해요. 현재의 규정은 1988년에 정해진 것을 지금까지 따르고 있어요.

110

4 바꿔 쓸 수 있는 말 쓸쓸하다

✎ 빈칸에 가장 어울리는 낱말 쌍을 [보기]에서 찾아 형태에 맞게 써 보세요.

22일
○ 월
○ 일

보기

괴상하다 - 특이하다	기습하다 - 습격하다	쓸쓸하다 - 삭막하다
끔찍하다 - 무참하다	위독하다 - 위중하다	추진하다 - 진행하다

　도움말 ▲ 낱말 쌍을 이룬 낱말들은 서로 비슷한 뜻을 가진 것들이에요.

❶ ┌ 텅 빈 집안의 분위기가 [쓸][쓸][하][다].
　 └ 대체로 도시의 인심이 시골에 비해 [삭][막][하][다].

❷ ┌ 전쟁 중에 많은 사람들이 [끔][찍][하][게] 죽었다.
　 └ 감옥으로 끌려간 독립투사들은 [무][참][하][게] 폭행을 당했다.

❸ ┌ 그의 [괴][상][한] 걸음걸이에 사람들의 이목이 집중되었다.
　 └ 정우는 [특][이][한] 성격 때문에 친구를 잘 사귀지 못한다.

❹ ┌ 지난해 고향으로 내려가신 할아버지가 [위][독][하][다].
　 └ 며칠째 중환자실에 머무는 아저씨의 병환이 [위][중][하][다].

❺ ┌ 굶주림에 불만이 폭발한 농민들이 관아를 [기][습][했][다].
　 └ 숨어 있던 아군들이 어둠을 틈타 적군의 기지를 [습][격][했][다].

❻ ┌ 대통령은 국가의 운명을 걸고 교육 개혁을 [추][진][했][다].
　 └ 오래된 집을 허물고 새 건물을 짓기 위해 공사를 [진][행][했][다].

111

5 꾸며 주는 말 속속들이

밑줄 친 낱말을 따라 쓰고, 그에 알맞은 뜻을 [보기]에서 찾아 기호를 써 보세요.

> **보기**
> ㉠ 잇따라 자꾸
> ㉡ 제때에 알맞게
> ㉢ 깊은 속까지 샅샅이
> ㉣ 이런저런 여러 가지의
> ㉤ 함부로, 만만하게, 주제넘게
> ㉥ 야단스럽게 드러나지 않고 은밀하게

1 기다리던 버스가 [때][마][침] 정류장에 들어서고 있었다. ⇨ (㉡)

2 경수는 친구들에게 자기 자랑을 [은][근][히] 하는 편이다. ⇨ (㉥)

3 검찰은 입시 비리를 [속][속][들][이] 파헤치기로 했다. ⇨ (㉢)
　도움말▲ '비리'는 부정행위를 가리키는 낱말이에요.

4 면담을 앞두고 긴장했는지 [연][신] 땀이 흘러내렸다. ⇨ (㉠)

5 동생의 서랍 속에 [온][갖] 잡동사니가 가득 들어 있었다. ⇨ (㉣)

6 그는 사람들이 [감][히] 엄두도 못 낼 일을 척척 해냈다. ⇨ (㉤)
　도움말▲ '엄두'는 어떤 일을 하려고 용감하게 나서려는 마음을 말해요.

112

6 뜻을 더하는 말 한-, 풋-

주어진 글자의 뜻을 참고하여 빈칸에 알맞은 낱말을 써 보세요.

> **한-** '정확한', '한창인'의 뜻을 더하는 말

1 무대의 [한][복][판] 에서 신나게 춤을 추었다.
　　사물의 한가운데

2 무더운 [한][여][름] 에는 모두 피서를 떠난다.
　　더위가 한창인 여름

3 [한][밤][중] 에 초인종이 울려 잠에서 깨어났다.
　　밤 열두 시쯤 되는 깊은 밤중

4 몸 상태가 좋지 않아서 [한][잠] 을 푹 자고 밖으로 나갔다.
　　깊이 든 잠

> **풋-** '미숙한', '깊지 않은'의 뜻을 더하는 말
　도움말▲ '풋-'은 기본적으로 '처음 나온', 또는 '덜 익은'의 뜻을 더해 주는 말이에요.

5 학창 시절 내 [풋][사][랑] 의 대상은 선생님이었다.
　　어려서 깊이를 모르는 사랑. 미숙한 사랑

6 그는 일을 시작한 지 얼마 되지 않은 [풋][내][기] 이다.
　　경험이 적어 일이나 사회관계가 서툰 사람

7 밤새 뒤척거리던 누이는 새벽에 겨우 [풋][잠] 이 들었다.
　　잠든 지 얼마 안 되어 깊이 들지 못한 잠

113

7 자주 쓰는 말 결실을 맺다

그림의 상황에 어울리도록 빈칸에 알맞은 낱말을 [보기]에서 찾아 써 보세요.

> **보기**
> 결실　　눈살　　머리　　불똥

1  ⇨ [결실] 을/를 맺다.
　→ 노력한 일의 성과가 나타나다.

2  ⇨ [머리] 을/를 싸매다.
　→ 있는 힘을 다하여 노력하다.

3  ⇨ [눈살] 을/를 찌푸리다.
　→ 못마땅한 뜻을 나타내어 양미간을 찡그리다.

4  ⇨ [불똥] 이/가 떨어지다.
　→ 꾸지람을 듣거나 벌을 받다.
　도움말▲ 비슷한 뜻의 말로 '불똥이 튀다.'가 있어요.

114

8 올바른 발음 갈등, 열중

> 한자어로 된 말에서, 'ㄹ' 받침 뒤에 연결되는 'ㄷ, ㅅ, ㅈ'은 된소리로 발음돼요.
>
> 갈등(葛藤) → [갈뜽]　　열중(熱中) → [열쭝]

밑줄 친 낱말의 알맞은 발음을 찾아 ○표 하세요.

1 그는 일에 대한 열정이 남다르다. ⇨ [열정]　[열쩡]
　　어떤 일에 매우 열심을 내는 마음

2 시험을 준비하며 공부에 열중했다. ⇨ [열중]　[열쭝]
　　한 가지 일에 정신을 집중함.

3 두 사람은 아무 갈등 없이 잘 지냈다. ⇨ [갈등]　[갈뜽]
　　서로 대립하여 생기는 충돌

4 한 학급의 아이들이 일시에 웃음을 터트렸다. ⇨ [일시]　[일씨]
　　같은 때

5 친구의 말장난에 나도 모르게 버럭 화를 냈다. ⇨ [말·장난]　[말·짱난]

6 동생은 새로운 물건을 보면 호기심이 발동을 한다. ⇨ [발동]　[발똥]
　　움직이거나 작용하기 시작함.

7 친구들과 계곡에 가서 물장구를 치며 놀았다. ⇨ [물장구]　[물짱구]
　　헤엄칠 때 발등으로 물 위를
　　잇달아 치는 일

115

9 낱말 퀴즈

🖊 빈칸에 알맞은 낱말을 써서 문장을 완성해 보세요.

❶ 이곳은 경찰이나 군인들이 사망하면 묻히는 묘 지 이다.
　　　　　　　　　　　　　　　　　　무덤이 있는 땅

❷ 아버지는 딸에게 집에 일찍 들어오라고 불 호 령 을 내렸다.
　　　　　　　　　　　　　　　　　　몹시 심하게 하는 꾸지람

❸ 그 집은 울 타 리 가 낮아 집 안 사람들의 모습이 훤히 보인다.
　　　　　　　풀, 나무 등으로 얽어서 담 대신 경계를 짓는 물건

❹ 그 화가는 세계 여러 곳을 다니며 개인전과 전 람 회 를 열었다.
　　　　　　　　　　　　　　　　소개, 교육 등을 위해 작품을 진열하여
　　　　　　　　　　　　　　　　여러 사람에게 보이는 모임

❺ 1970년대에는 황 폐 한 땅을 농토로 개간하는 데 많은 노력을 하였다.
　　　　　　　　　　　땅, 숲 등이 거칠어져 못 쓰게 됨
　　　　　　도움말▲ 거친 땅이나 버려진 땅을 쓸모 있게
　　　　　　바꾸는 것을 '개간'이라고 해요.

❻ 몇 년 전부터 전국에 운전자를 위한 졸 음 쉼 터 가 늘어나고 있다.
　　　　　　　　　　　　　　졸음운전을 예방하기 위하여 도로 중간에 설치한 쉬는 장소

❼ 교통난을 해소하기 위해 대 중 교 통 을 이용할 것을 권장하였다.
　　　　　　　　　　　여러 사람이 이용하는 버스, 지하철 등의 교통
　　　　　　도움말▲ '교통난'이라고 하면, 대개 차가 막히는 것을 말해요.

❽ 적군의 배가 우리 거북선과 판 옥 선 의 공격을 받아 계속 침몰하고 있었다.
　　　　　　　　　　　　　　조선 시대 널빤지로 지붕을 덮은 전투를 위한 배

116

---

10 십자말풀이

24일
○월
○일

가로
열쇠
　1. 지출이 수입보다 많은 상태 ⑲ 흑자
　2. 앞으로 해야 할 일이나 겪을 일에 대한 마음의 준비를 하다.
　3. 많은 사람이 법석을 떨어 야단이 난 곳
　4. 남의 소유물이 되어 부림을 당하는 사람
　5. 강가. 강의 가장자리
　6. 자연환경을 보전하기 위해 조성한 숲지대

세로
열쇠
　1. 기회를 노리고 쓰는 꾀 ⑳ ○○수
　2. 일이 있기 전에 미리. 처음부터 ⑳ 길이 막힐까 봐 ○○ 일찍 출발했다.
　3. 수의 자리
　4. 배드민턴, 테니스, 탁구 등에서 공을 치는 채
　5. 불에 태워 없애는 곳
　6. 난 지 얼마 되지 않은 강아지 ⑳ ○○○○○ 범 무서운 줄 모른다.

117

---

11 (타교과 어휘) 사회

🖊 빈칸에 알맞은 낱말을 박스 안에서 찾아 써 보세요.

```
    가계          주식          허위
          금융
    한류              소득      이윤
```

❶ 기업의 목적은 장사를 해서 이윤 을 남기는 것이다.
　　　　　　　　　　물건이나 서비스를 생산, 판매해서 얻는 이익

❷ 그는 어릴 때부터 가계 를 책임지면서 동생들을 돌보았다.
　　　　　　　　가정 살림을 같이 하는 생활 공동체

❸ 국민은 벌어들인 소득 에 대한 세금을 내야 하는 의무가 있다.
　　　　　　　　일한 결과로 얻은 정신적·물질적 이익

❹ 한국 드라마와 같은 한류 문화를 즐기는 외국인이 늘고 있다.
　　　　　　　　우리나라의 드라마, 대중가요 등의 문화가 전 세계로 퍼지는 현상

❺ 물건을 훔치지 않았다는 그 사람의 자백은 모두 허위 로 밝혀졌다.
　　　　　　　　　　　　　진실이 아닌 것을 진실인 것처럼 꾸민 것

❻ 금융 기관인 은행은 사람들이 저축한 돈을 기업에게 빌려주는 역할을 한다.
필요한 돈을 공급하는 활동
　　도움말▲ 은행 외에도 돈과 관련된 업무를 하는 곳을 통틀어
'금융 기관'이라고 해요.

❼ 올해 우리 회사는 직원들에게 성과급 대신에 주식 을 나눠 주기로 결정하였다.
　　　　　　　　　　　　회사의 자본을 같은 값으로 나누어 놓은 단위,
　　　　　　　　　　　　또는 금액을 표시해 놓은 증권

118

🖊 빈칸에 알맞은 낱말을 써서 문장을 완성해 보세요.

❶ 이 커피의 원 산 지 는 무더운 열대 지방이다.
　　　　　　　　원료나 제품이 만들어진 곳

24일
○월
○일

❷ 기존의 구리 전선을 새로 개발한 신 소 재 로 교체하였다.
　　　　　　　　　　　　　전에는 없었던, 새로 만들어 낸 물질

❸ 다니던 회사가 망하는 바람에 졸지에 실 업 자 가 되었다.
　　　　　　　　　　　　경제 활동을 해야 할 나이에 직업이 없는 사람

❹ 반 도 체 는 조건에 따라 전기가 통하기도 하고 안 통하기도 한다.
전자 기기에 중요하게 쓰이는 재료로, 도체와 부도체의 중간쯤 되는 물질

❺ 정부는 철강, 조선 등의 중 공 업 을 집중적으로 육성하기로 하였다.
　　　　　　　　　　　주로 부피와 무게가 큰 재료나 기계 등을 생산하는 공업

❻ 우리나라는 1960년대에 신발 따위를 제조하는 경 공 업 에 주력했다.
　　도움말▲ 큰 규모의 상품을 생산하는 것은　　사람들이 실제 생활에서 쓰는
'중(重)공업', 작은 상품을 생산하는 것은　　작은 물건들을 생산하는 공업
'경(輕)공업'이라고 해요.

❼ 1997년 말 우리나라는 외국에서 빌린 돈을 갚지 못해 외 환 위기를 겪었다.
　　도움말▲ 우리는 1997년 외환 위기에 IMF라는　　다른 나라와 거래할 때 쓴 돈이나
국제기관의 도움을 받았어요. 그래서 이때를　　그 밖의 수단
'IMF 사태'라고도 해요.

119

9장 마음을 나누는 글을 써요

 국어 교과서 300~325쪽

1 바꿔 쓸 수 있는 말 애초

🖊 밑줄 친 낱말과 바꿔 쓸 수 있는 낱말을 [보기]에서 찾아 써 보세요.

보기

처음   수심   역경   병폐   직분   호감

❶ 어머니는 할머니의 병세에 항상 <u>근심</u>이 가득하시다.
　　해결되지 않은 일 때문에
　　속을 태우거나 우울해함.
➡ 수심

❷ 국회의 본분은 국민의 뜻을 모아 법을 만드는 것이다.
　　의무적으로 지켜 행해야 할 의무
➡ 직분

❸ 인생을 살아가는 동안 수없이 많은 <u>난관</u>에 처하게 된다.
　　나가면서 부딪치는 어려운 위기
➡ 역경

❹ 이사 온 지 얼마 되지 않아 마을 사람들의 <u>환심</u>을 얻었다.
　　기뻐하고 즐거워하는 마음
➡ 호감

❺ 암행어사는 각 고을의 <u>악폐</u>를 바로 잡는 업무를 수행했다.
　　옳지 못한 경향이나 해로운 현상
➡ 병폐

❻ 끝까지 해낼 생각이 없다면 <u>애초</u>에 시작하지 않는 것이 좋다.
　　맨 처음
➡ 처음

122

2 흉내 내는 말 허겁지겁

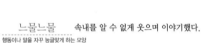

도움말▼ 문장 속의 상황을 보고 가장 알맞은 낱말을 선택하도록 해요.
🖊 빈칸에 알맞은 낱말을 [보기]에서 찾아 써 보세요.

보기

느물느물   주뼛주뼛   지척지척   허겁지겁   사부작사부작   주저리주저리

❶ 그는 밤마다 집 근처 산 둘레길을 <u>사부작사부작</u> 걸었다.
　　별로 힘들이지 않고 계속 가볍게 행동하는 모양

❷ 늦잠을 잔 철수는 수업에 늦을까봐 <u>허겁지겁</u> 집을 나섰다.
　　조급해서 몹시 허둥거리는 모양

❸ 수상한 아저씨가 <u>느물느물</u> 속내를 알 수 없게 웃으며 이야기했다.
　　행동이나 말을 자꾸 능글맞게 하는 모양

❹ 아이는 신이 나서 계속해서 <u>주저리주저리</u> 떠들며 이야기하고 있었다.
　　이것저것 끊임없이 이야기하는 모양

❺ 친구들에게 얼떨결에 떠밀려 나간 영수는 <u>주뼛주뼛</u> 발표를 시작했다.
　　부끄럽거나 두려워 망설이며 머뭇머뭇하는 모양

　도움말▲ '주뼛주뼛'은 무서워 머리카락이 꼿꼿하게
　일어서는 듯한 느낌을 나타내기도 해요.

❻ 피곤이 밀려드는지 아내는 저만치 뒤에서 <u>지척지척</u> 따라오고 있었다.
　　힘없이 다리를 끌면서 억지로 걷는 모양

123

3 헷갈리기 쉬운 말 너머/넘어

🖊 주어진 설명을 참고하여 문장에 어울리는 말을 찾아 ○표 하세요.

| -너머 | 담, 고개 등 높은 것의 저쪽을 가리키는 말 |
| -넘어 | '넘다'가 쓰임에 따라 변한 활용 형태 |

도움말▲ '너머'는 가리키는 말인 명사이고, '넘어'는 동작을 나타내는 말인 동사예요.

❶ 붉은 해가 저 산 (너머/ 넘어) 뉘엿뉘엿 넘어갔다.

❷ 우리 할아버지는 육이오 때 삼팔선을 (너머 /넘어) 남쪽으로 내려오셨다.

| 맞다 | 동작을 나타내는 말. 문장에서 쓰임에 따라 '맞는'으로 바뀜. |
| 알맞다 | 상태를 나타내는 말. 문장에서 쓰임에 따라 '알맞은'으로 바뀜. |

❸ 봄, 가을은 나들이하기에 (알맞은/ 알맞는) 계절이다.

❹ 이 책은 역사적 사실에 (맞은 /맞는) 내용을 담고 있다.

| 로서 | 지위나 신분, 자격을 나타내는 말 |
| 로써 | 물건의 재료나 원료를 나타내거나, 일의 수단이나 도구를 나타내는 말 |

❺ 이 샐러드는 신선한 (야채로서 /야채로써) 만들어져서 건강에 좋다.
　도움말▲ '~을 가지고'의 의미를 담고 있으면, '로써'로
　쓴다는 것을 기억하도록 해요.

❻ 이 문제는 (대화로서 /대화로써) 해결하는 것이 가장 현명한 방법이다.

❼ 이 건물은 조선 시대 대표적인 (건축물로서/ 건축물로써) 특히 후원이 유명하다.

124

| 왠지 | '왜인지'의 준말. '왜 그런지 모르게'의 뜻의 나타냄. |
| 웬일 | '어찌 된 일'을 뜻하는 말. '의외의 뜻'을 나타냄. |

❽ 오늘은 (왠지/ 웬지) 몸에 기운이 없다.
　도움말▼ 헷갈리지 않게 '왠지', '웬일'의 형태를 그대로 외워 두세요.

❾ (웬일/ 왠일)로 네가 나한테 전화를 했니?

❿ 접시를 깨트리자, (왠지/ 웬지) 불길한 예감이 들었다.

⓫ (왠일 /웬일)인지 아버지가 주말에 놀이동산에 가자고 했다.

| -든지 | 여러 상태 중에서 하나를 선택하는 의미를 나타낼 때 쓰이는 말 |
| -던지 | 의문이 있는 채로 뒷말의 사실이나 판단과 관련시키는 데 쓰이는 말 |

⓬ 우리 민족은 어디에 (살든지/ 살던지) 뛰어난 적응력을 가지고 있다.
　도움말▲ '-든'으로 바꿔 쓸 수 있으면, '-든지'로,
　그 밖에는 '-던지'로 쓰면 돼요.

⓭ 오늘은 집에서 (놀든지/ 놀던지) 밖에서 (놀든지/ 놀던지) 맘대로 해도 된다.

⓮ 영수가 학교에서 어찌나 밥을 많이 (먹든지 /먹던지) 배탈이 날까 걱정이 된다.

⓯ 그녀는 혼자 남겨진 아이가 (불쌍했든지 /불쌍했던지) 몇 번이고 뒤를 돌아보았다.

125

4 사자성어 구사일생(九死一生)

[보기]의 글자 카드를 사용하여 문장 안의 사자성어를 완성해 보세요.

보기

구 비	동 락	비 재
일 각	일 생	지 명

① 그는 비행기 사고에서 구 사 일 생 으로 살아남았다.

　　　　죽을 위기를 여러 차례 넘기고 겨우 살아남(九死一生).

　도움말▲ 해석하면, 아홉 번 죽을 뻔하다가 한 번 살아난다는 뜻이에요.

② 사업을 하려면 장래를 내다보는 선 견 지 명 이 있어야 한다.

　　　　어떤 일이 일어나기 전에 미리 앞을 내다보고 아는 지혜(先見之明)

③ 신랑과 신부는 하늘을 두고 한평생을 동 고 동 락 하기로 맹세했다.

　　　　괴로움도 즐거움도 함께함(同苦同樂)

④ 우리가 알고 있는 그 사람의 선행은 빙 산 일 각 에 지나지 않는다.

　　　　드러나 있는 것이 극히 일부분에 지나지 않음(氷山一角).

　도움말▲ 해석하면, '빙산의 뿔'이라는 뜻이에요.

⑤ 결혼식장에서 본 사촌누나의 신랑감은 이 목 구 비 가 뚜렷하게 생겼다.

　　　　귀, 눈, 입, 코를 모두 이르는 말, 얼굴의 생김새(耳目口鼻)

　도움말▲ 한자어 耳(귀 이), 目(눈 목), 口(입 구), 鼻(코 비)가 합쳐진 말이에요.

⑥ 일본은 지진으로 인해 땅이 흔들리는 일이 비 일 비 재 하게 일어난다.

　　　　같은 현상이나 일이 한두 번이나 한둘이 아니고 많음(非一非再).

126

5 속담 하늘의 별 따기

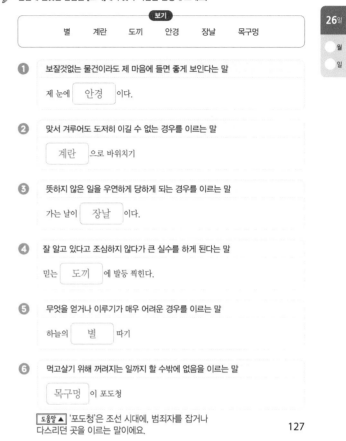

빈칸에 알맞은 낱말을 [보기]에서 찾아 속담을 완성해 보세요.

보기

별	계란	도끼	안경	장날	목구멍

① 보잘것없는 물건이라도 제 마음에 들면 좋게 보인다는 말

제 눈에 안경 이다.

② 맞서 겨루어도 도저히 이길 수 없는 경우를 이르는 말

계란 으로 바위치기

③ 뜻하지 않은 일을 우연하게 당하게 되는 경우를 이르는 말

가는 날이 장날 이다.

④ 잘 알고 있다고 조심하지 않다가 큰 실수를 하게 된다는 말

믿는 도끼 에 발등 찍힌다.

⑤ 무엇을 얻거나 이루기가 매우 어려운 경우를 이르는 말

하늘의 별 따기

⑥ 먹고살기 위해 꺼려지는 일까지 할 수밖에 없음을 이르는 말

목구멍 이 포도청

　도움말▲ '포도청'은 조선 시대에, 범죄자를 잡거나
다스리던 곳을 이르는 말이에요.

127

6 낱말 퀴즈

빈칸에 알맞은 낱말을 써서 문장을 완성해 보세요.

① 도시 주변의 무 분 별 한 도시화 개발을 막아야 한다.

　　　　분별이 없음.

② 그녀는 집안을 돌보지 않는 남편에 대한 원 망 이 쌓여 갔다.

　　　　못마땅하게 여기어 탓하거나 불평을 품고 미워함.

③ 정약용 선생은 유 배 지 인 다산 초당에서 많은 책을 집필하였다.

　　　　죄인을 귀양 보냈던 곳

④ 철수는 성실하고 악착같은 근 성 이 있어 마라톤을 완주할 수 있었다.

　　　　태어날 때부터 지니고 있는 본래의 성질

　도움말▲ '악착같다'는 매우 독하고 끈질기다는 뜻이에요.

⑤ 비슷한 나이의 사람들을 만나면 쉽게 공 감 대 가 형성되는 것 같다.

　　　　남의 감정과 의견 등에 함께 느끼는 부분

⑥ 학생들은 수업이 끝나고 상급 학교 진학을 위한 보 충 수업을 시작했다.

　　　　부족한 것을 보태어 채움.

⑦ 큰형은 집안에 보탬을 주기 위해 직장 생활과 부업을 병 행 하여 돈을 모았다.

　　　　둘 이상의 일을 한꺼번에 함.

128

다음 박스 안에서 밑줄 친 낱말의 알맞은 뜻을 찾아 그 기호를 써 보세요.

> ㉠ 비밀이 새어 나감.
> ㉡ 미루어 생각하여 판정함.
> ㉢ 사실과 다르게 해석하거나 그릇되게 함.
> ㉣ 두루 돌아다니며 그 지역의 사정을 살핌.
> ㉤ 옷 등이 낡아 해지고 차림새가 너저분함.
> ㉥ 물체의 그림자를 어떤 물체 위에 비추는 일
> ㉦ 막히지 않고 잘 통함. 서로 통하여 오해가 없음.

① 연못에 투영된 하늘빛이 바람결에 일렁거렸다. ⇨ ㉥

　도움말▲ '투영'은 어떤 일을 다른 일에 반영하여
나타냄을 이르는 말로도 쓰여요.

② 아무리 옷차림이 남루해도 손님을 소홀히 대해서는 안 된다. ⇨ ㉤

③ 구청장이 홍수 피해 지역에 시찰을 나와 이재민을 위로했다. ⇨ ㉣

④ 어렸을 때부터 나는 세계와 소통하고 싶다는 꿈을 키워 왔다. ⇨ ㉦

⑤ 현재까지 추정으로는 부상자 15명, 사망자 10명으로 파악됩니다. ⇨ ㉡

⑥ 문자로만 의사소통을 하면 그 뜻이 왜곡되어 잘못 전달될 수 있다. ⇨ ㉢

129

7 올바른 발음 눈

형태가 같은 낱말의 경우 발음으로 의미를 구분하기도 해요. 사람의 신체 기관을 의미하는 '눈'은 짧게 발음하고, 겨울에 내리는 '눈'은 길게 발음하지요.

눈[눈] → 사람의 눈
짧게 발음할 때

눈[눈:] → 내리는 눈
길게 발음할 때

✏️ 다음 그림에 알맞은 낱말의 발음을 찾아 ○표 하세요.

❶ [말] [말:]

❷ [말] [말:]

❸ [굴] [굴:]

❹ [굴] [굴:]

❺ [벌] [벌:]

❻ [벌] [벌:]

❼ [밤] [밤:]

❽ [밤] [밤:]

도움말 ▲ '밤에 바암을 먹어요.'처럼 외워 두도록 해요.

130

8 잘못 쓰기 쉬운 말 게시판

✏️ 다음 문장에 알맞은 낱말을 찾아 ○표 하세요.

❶ 오늘 아버지와 함께 장마를 대비해 집 (안밖 / 안팎)을 점검했다.
사물이나 영역의 안과 밖

❷ 영민이는 괜히 옆에서 편들다가 욕만 (곱빼기 / 곱배기)로 얻어먹었다.
두 배의 분량

❸ 교향악단의 연주가 끝나자 (우뢰 / 우레)와 같은 박수가 쏟아져 나왔다.
천둥

❹ 학교의 전자 (게시판 / 계시판)에서 각종 학교 소식을 찾아 볼 수 있다.
알림판, 안내판

❺ 침대 위에 드러누운 채 명수는 멍하니 (천장 / 천정)만 바라보고 있었다.
지붕의 안쪽

❻ 우리의 간절한 (바람 / 바램)은 군사적 대립이 없는 평화적 남북통일이다.
어떤 일이 이루어지기를 기다리는 간절한 마음
도움말 ▲ '바람'은 동사 '바라다'에서 온 말이므로, '바램'으로 쓰면 안 돼요.

❼ 고속 도로 통행료에는 도로 사용료와 (휴게소 / 휴계소) 사용료가 포함되어 있다.
길을 가는 사람이 잠깐 쉴 수 있게 마련한 장소

131

9 타교과 어휘 과학

✏️ 밑줄 친 낱말에 알맞은 뜻을 찾아 연결하세요.

❶ 현대는 첨단 과학의 시대이다.

빛, 소리의 진행 방향이 바뀌는 현상

❷ 대기의 굴절에 의해 빛이 퍼진다.

유행의 맨 앞 장

❸ 이 선을 경계로 하여 강원도가 시작된다.

다른 것을 본뜨거나 본받음.

❹ 그는 어린 동생들을 돌보는 맏형 구실을 한다.

서로 다른 두 지역이 만나는 지점

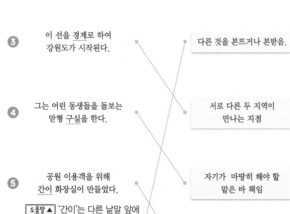

❺ 공원 이용객을 위해 간이 화장실이 만들었다.
도움말 ▲ '간이'는 다른 낱말 앞에 붙어 간이 우체국, 간이 주차장 등과 같이 쓰여요.

자기가 마땅히 해야 할 맡은 바 책임

❻ 예술은 모방보다 창조를 가치 있는 것으로 여긴다.

어떤 시설의 기능이나 목적에 맞게 기본적 요소만 간단히 갖춘 것

132

✏️ 밑줄 친 말과 바꿔 쓸 수 있는 낱말에 ○표 하세요.

❶ 짚신벌레는 한 개의 핵을 가진 단세포생물이다. ➡️ 단생물 / 원생생물

❷ 사고로 인해 살아 있는 몸의 기능이 마비되었다. ➡️ 생체 / 신체

❸ 자외선은 사람의 눈으로 볼 수 있는 빛이 아니다. ➡️ 적외선 / 가시광선

❹ 꽃, 씨를 맺지 않는 식물의 생식 세포를 '홀씨'라고도 한다. ➡️ 종자 / 포자
도움말 ▲ '생식 세포'는 자손을 남기는 데 관여하는 세포를 말해요.

❺ 학생들은 빛을 굴절·분산시키는 광학 부품으로 무지개 색 빛깔을 확인했다. ➡️ 프리즘 / 현미경

❻ 버섯류는 균류의 몸을 이루는 실 모양의 세포 덩어리와 번식 기관인 포자를 지니고 있다. ➡️ 균사체 / 균세포

❼ 현미경으로 물체의 모습을 확대하는 비율이 높은 기구를 사용해야 바이러스를 관찰할 수 있다. ➡️ 배율 / 이율

133

MEMO

MEMO

MEMO

MEMO

[숨마 어린이®] 는

중고교 상위권 선호도 1위 브랜드 **숨마쿰라우데®** 가 만든
초등학생들을 위한 혁신적인 **초등 브랜드**입니다 !

초등국어 어휘왕 시리즈 (초3 ~ 초6 학기별 총 8권)

"초등국어 어휘왕"은
많은 교사와 학부모들이 적극 추천하는 교재입니다.

'초등국어 어휘왕'은 학교 수업과 병행하여 학습할 수 있다는 장점이 있습니다. 기본적인 문법 개념, 맞춤법, 띄어쓰기까지 모두 담고 있어, 교재를 한번 꼼꼼히 공부하고 나면 어휘력 향상에 많은 도움이 됩니다.　　　대명초 **정지원** 선생님

교과 어휘의 중요성은 거듭 강조해도 지나치지 않습니다. 교과서에 수록된 어휘들을 단원별로 잘 정리하여 재미있게 학습할 수 있도록 한 교재가 바로 '초등국어 어휘왕'입니다. 초등국어 어휘왕을 꾸준히 공부하면 학습의 기틀을 확실하게 마련할 수 있습니다.　　　수내초 **우정민** 선생님

학교 현장에는 교과서에 나온 어휘를 제대로 이해하지 못해 교과 학습에 어려움을 겪는 학생들이 많습니다. 학생들이 '초등국어 어휘왕'을 통해 단원별 주요 어휘들을 예습·복습하는 것만으로도 학교 수업을 이해하는 데 많은 도움이 될 것입니다.　　　세륜초 **김민하** 선생님

쉬운 설명과 예문으로 어휘의 기본 개념을 설명해 주니 아이가 쉽게 이해하네요. 역시 어휘 학습은 암기보다는 예문을 통해 공부하는 것이 효과적이라는 생각이 듭니다.　　　초등맘 블로거 **제이드림**님

'초등국어 독해왕 시리즈'로 학습을 마친 우리 둘째 아이는 글을 읽는 데 자신감이 생겼다고 말해요. '초등국어 어휘왕'으로 공부해서 어휘력에도 자신감을 갖게 되기를 기대해 봅니다.　　　초등맘 블로거 **오렌지자몽**님

'초등국어 어휘왕'은 국어 교과 단원과 연계되어 있어 교과서와 함께 학습하면 좋은 교재예요. '초등국어 어휘왕'으로 미리 예습을 하면 학교 수업을 더 잘 이해할 수 있겠어요.　　　초등맘 블로거 **마미브라운베어**님

어휘력은 어휘의 의미를 확인하고 실제 활용을 해 봐야 는다고 생각해요. '초등국어 어휘왕'은 교과서 어휘를 중심으로 우리가 생활에서 많이 활용하는 어휘들을 재미있는 문제 풀이를 통해 익힐 수 있어서 부담스럽지 않게 학습할 수 있는 교재랍니다.　　　초등맘 블로거 **소안맘**님

이룸이앤비로 통하는 **HOT LINE**

CALL　　　　　**FAX**　　　　　**INTERNET**　　　　　**E-MAIL**
02) 424 - 2410　　02) 424 - 5006　　www.erumenb.com　　webmaster@erumenb.com

이룸이앤비의 특별한 중등 국어교재 시리즈

숨마 주니어® 중학국어 어휘력 시리즈

중학교 국어 실력을 완성시키는 **국어 어휘 기본서** (전3권)

- 중학국어 **어휘력 ❶**
- 중학국어 **어휘력 ❷**
- 중학국어 **어휘력 ❸**

숨마 주니어® 중학국어 비문학 독해 연습 시리즈

모든 공부의 기본! 글 읽기 능력을 향상시키는
국어 비문학 독해 기본서 (전3권)

- 중학국어 **비문학 독해 연습 ❶**
- 중학국어 **비문학 독해 연습 ❷**
- 중학국어 **비문학 독해 연습 ❸**

숨마 주니어® 중학국어 문법 연습 시리즈

중학국어 **주요 교과서 종합!**

중학생이 꼭 알아야 할 **필수 문법서** (전2권)

- 중학국어 **문법 연습 1** 기본
- 중학국어 **문법 연습 2** 심화

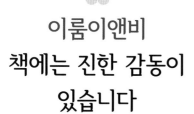